Companhia na crise

Companhia na crise
Um mês com John Donne e Philip Yancey

Traduzido por Almiro Pisetta

MUNDO CRISTÃO

Copyright © 2021 por Philip Yancey

As citações bíblicas foram extraídas e adaptadas da *Nova Versão Transformadora* (NVT), da Tyndale House Foundation, salvo a seguinte indicação: *Almeida Corrigida e Fiel* (ACF), da Sociedade Bíblica Trinitariana do Brasil.

Todos os direitos reservados e protegidos pela Lei 9.610, de 19/02/1998.

É expressamente proibida a reprodução total ou parcial deste livro, por quaisquer meios (eletrônicos, mecânicos, fotográficos, gravação e outros), sem prévia autorização, por escrito, da editora.

Imagem de capa: "Tempestade no mar da Galileia" (1633), pintura em óleo sobre tela de Rembrandt van Rijn

Edição
Daniel Faria

Revisão
Natália Custódio

Produção e diagramação
Felipe Marques

Colaboração
Ana Luiza Ferreira
Marina Timm

Capa
Douglas Lucas

CIP-Brasil. Catalogação na publicação
Sindicato Nacional dos Editores de Livros, RJ

Y22c

    Yancey, Philip
       Companhia na crise : um mês com John Donne e Philip Yancey / Philip Yancey ; tradução Almiro Pisetta. - 1. ed. - São Paulo : Mundo Cristão, 2022.
       160 p.

       Tradução de: A companion in crisis
       ISBN 978-65-5988-073-7

       1. Donne, John, 1572-1631 - Crítica e interpretação. 2. Religião e literatura. 3. COVID-19, Pandemia, 2020 - Aspectos religiosos. 4. Meditação - Cristianismo. I. Pisetta, Almiro. II. Título.

22-75974   CDD: 248.34
                                                    CDU: 27-583

Meri Gleice Rodrigues de Souza - Bibliotecária - CRB-7/6439

Publicado no Brasil com todos os direitos reservados por:
Editora Mundo Cristão
Rua Antônio Carlos Tacconi, 69
São Paulo, SP, Brasil
CEP 04810-020
Telefone: (11) 2127-4147
www.mundocristao.com.br

Categoria: Espiritualidade
1ª edição: abril de 2022

*Se não houvesse alguma luz,
não poderia haver sombra nenhuma.*
John Donne

Sumário

Prefácio — 9
Dia 1   Um caminho através da crise — 13
Dia 2   Qual o sentido disso? — 18

Devoções de John Donne, parafraseado

Dia 3   Estágio um: Primeiros sintomas — 25
Dia 4   Estágio dois: Falha dos sentidos — 29
Dia 5   Estágio três: Acamado — 33
Dia 6   Estágio quatro: Chamando o médico — 39
Dia 7   Estágio cinco: Quarentena — 43
Dia 8   Estágio seis: Medo — 47
Dia 9   Estágio sete: A junta médica — 52
Dia 10   Estágio oito: O médico do rei — 57
Dia 11   Estágio nove: Diagnóstico — 61
Dia 12   Estágio dez: Sintomas furtivos — 66
Dia 13   Estágio onze: O coração — 70
Dia 14   Estágio doze: A respiração — 75
Dia 15   Estágio treze: Uma erupção da pele — 78
Dia 16   Estágio catorze: Dias críticos — 82
Dia 17   Estágio quinze: Insônia — 87
Dia 18   Estágio dezesseis: O sino funerário — 91
Dia 19   Estágio dezessete: O sino da "passagem" — 95
Dia 20   Estágio dezoito: O toque de finados — 101

Dia 21	Estágio dezenove: Esperança	107
Dia 22	Estágio vinte: A purgação	113
Dia 23	Estágio vinte e um: Ressurreição	117
Dia 24	Estágio vinte e dois: A fonte	122
Dia 25	Estágio vinte e três: A recaída	127
Dia 26	A inofensiva morte	135
Dia 27	A paz da aceitação	140
Dia 28	Descobrir sentido no sofrimento	146
Dia 29	Compaixão, não censura	151
Dia 30	Do medo à confiança	155

Prefácio

Meu primeiro livro explorou a questão *Onde está Deus quando chega a dor?*, e nos sucessivos anos desde então meus textos muitas vezes trataram das questões levantadas pela dor e o sofrimento. Depois veio 2020, quando uma crise de saúde global colocou em risco cada ser humano do planeta. Em semanas, um minúsculo vírus sobrecarregou hospitais, desorganizou sistemas econômicos e eliminou as interações sociais de cada dia.

Não tínhamos nenhum manual de instruções sobre como reagir a uma pandemia — ou será que tínhamos? Os historiadores logo desenterraram lições de surtos anteriores de doenças tais como a varíola, o cólera, a peste bubônica e a gripe espanhola. Em diversas épocas, cada um desses flagelos disseminou o terror e interrompeu a vida normal. Cada pandemia reduziu os seres humanos à condição de frágeis, desorientadas criaturas diante de questões aparentemente sem respostas satisfatórias.

Onde eu poderia achar um guia que sobreviveu a esse tipo de provação e que ofereceu sabedoria a sua posteridade? Descobri a resposta num diário escrito quatro séculos antes da covid-19. John Donne escreveu *Devoções para ocasiões emergentes* em 1623, durante uma epidemia de peste bubônica em sua cidade de Londres. Aqui, finalmente, estava um mestre tutor, um guia fidedigno para tempos de crise.

Entusiasmado com a descoberta, isolei-me num retiro nas montanhas e dei início a um projeto que me ocuparia por vários meses. Meu objetivo: tornar mais acessível para leitores do século 21 os perenes discernimentos de um de nossos maiores escritores. O entendimento e tratamento de doenças mudou radicalmente desde a época de Donne, e, no entanto, não conheço relato melhor de alguém confrontando-se com Deus durante uma crise de saúde.

John Donne compôs vinte e três meditações mapeando os estágios de sua enfermidade. Nelas estão algumas das mais famosas passagens da literatura inglesa: "Nenhum homem é uma ilha [...] nunca mandes perguntar por quem o sino dobra; ele dobra por ti". Às meditações de Donne acrescentei sete apontamentos que explicam parte do contexto histórico do autor. Donne escreveu como uma forma de contemplação, e suas reflexões devem ser lidas nesse sentido. Recomendo que se leia um apontamento por dia por um período de trinta dias.

Fui drasticamente seletivo na editoração do texto, cortando tudo o que exigia explicações: ciência arcaica ou mitologia grega ou até mesmo passagens bíblicas obscuras. Escolhi apenas partes que pareciam ter uma relevância imediata, não apenas para a crise da COVID-19, mas para qualquer crise que desperte questões existenciais. E, hesitando diante de minha própria insolência, procurei domesticar o complicado estilo da escrita de Donne transformando-o em algo que leitores modernos pudessem facilmente absorver.

Busquei extrair da obra-prima literária de Donne verdades universais sobre como viver e como morrer. Nesta versão, você sentirá falta das aliterações, trocadilhos e recursos retóricos do autor. Caso se sinta incomodado com a minha paráfrase, ou simplesmente curioso sobre o que está faltando, bem, eu o aconselho a baixar na internet o texto original (disponível, sem custo algum, em: https://freeditorial.com/en/books/devotions-upon-emergent-occasions).

Agradeço especialmente a editora de meu livro *Alma sobrevivente*, do qual extraí alguns de meus comentários. Minha agente literária, Kathryn Helmers, prestou-me ajuda valiosíssima na concepção deste projeto, e minha assistente executiva, Joannie Degnan Barth, fez um trabalho inestimável durante todo o processo.

DIA 1

Um caminho através da crise

As palavras saltaram-me aos olhos logo desde a primeira página de *Devoções para ocasiões emergentes* de John Donne, quando pela primeira vez deparei com o livro por volta dos vinte e poucos anos. Conhecia a fama de Donne como sendo um dos maiores poetas da Inglaterra, mas nada me havia preparado para esse bravio relato de confrontações com Deus durante uma crise pessoal.

Na Londres do início do século 17, Donne ocupava um dos mais eminentes postos religiosos da época como deão da Catedral de São Paulo. Em meio a uma pandemia mortal, ele se extenuava para oferecer conforto espiritual a seus paroquianos. A população da cidade havia sido dizimada, e os fúnebres dobres dos sinos soavam implacavelmente todos os dias. Donne se sentia espiritualmente esgotado e desamparado. Em seguida os primeiros sintomas da doença apareceram em seu corpo, o que na opinião de seus médicos parecia um sinal evidente da peste bubônica. Durante um mês ele ficou prostrado enfermo, ouvindo o sino da igreja dobrando por outros e perguntando-se se sua morte seria a próxima anunciada.

Embora seriamente debilitado, Donne recorreu a seu instinto de escritor e conseguiu registrar cada estágio da enfermidade. *Deus, o que estás querendo nos dizer? Como podes me derrubar quando meu rebanho tão desesperadamente precisa de* mim? Na minha juventude fui um libertino sexual — será esta a tua maneira de cruelmente prender-me ao meu leito? Tu gostas de ver os seres humanos contorcendo-se de dor? Tu ainda curas as pessoas? Que mensagem estás tentando transmitir ao mundo? Donne se torturava com perguntas como essas e explorava suas lembranças bíblicas em busca de discernimento e respostas.

"Ó Deus, meu Deus!" Seguindo os passos da tradição de Jó e Agostinho, Donne escreveu seu livro na segunda pessoa, dirigindo-se a Deus diretamente. Pelo estilo, os textos de *Devoções* diferem de seus imponentes sermões, ou de sua jocosa, sagaz poesia. São pessoais, acalorados, melancólicos, beirando a instabilidade. Refletem o estado febril de um autor pensativo empurrado para a beira do abismo.

Conforme Donne escreve, seu ponto de vista varia entre a confiança sublime e a paranoia. Em termos de hoje em dia, ele mostra uma abordagem de Deus passiva-agressiva, ora exigindo, ora timidamente se retraindo. Às vezes ele usa seu diário como uma forma de terapia cognitiva, persuadindo-se a ter fé quando não tem fé alguma, e esperança quando o que sente é apenas desespero.

Enquanto estava me abrigando em meu refúgio durante os primeiros dias da pandemia da COVID-19, retornei ao livro de Donne mais uma vez, impressionado por sua direta aplicação a nossa crise moderna. Desde sua época, a ciência mudou tanto a ponto de tornar-se irreconhecível. Os conceitos de universo de Galileu e Copérnico estavam apenas começando a circular em sua época, e a teoria dos germes na medicina não havia sido descoberta. Os médicos de Donne o trataram com sangrias, pombos aplicados a sua cabeça para afastar vapores e humores e pombas aplicadas a suas "partes inferiores" para afastar outro conjunto de vapores. No entanto, os protestos de Donne contra Deus poderiam ter sido escritos ontem.

Durante a leitura, eu via Donne lutando com muitas das mesmas questões que seriam verbalizadas durante a pandemia da COVID-19 quase quatrocentos anos depois. Claustrofobicamente confinado em seu quarto, ele deixava sua mente divagar, em busca de entendimento daquilo que estava vivendo. Pensei em nossos equivalentes modernos, em pacientes quarentenados em UTIs, o corpo deles tratado como peças quebradas de máquinas, a sós a não ser pelo aparecimento ocasional de auxiliares usando máscaras e uniformes espaciais. Ventiladores e tubos respiratórios não existiam na época de Donne, mas as rudes técnicas de purgação ou de sangria também faziam o tratamento parecer pior do que a doença.

O que um grande escritor nessas circunstâncias produziria hoje, especialmente um escritor de fé? Talvez algo muito parecido com *Devoções* de John Donne. Seu diário de luta com Deus é atemporal, aplicando-se não apenas a crises de enfermidades, mas a qualquer tipo de crise, grande ou pequena, que nós modernos enfrentamos neste nosso atribulado planeta.

Durante toda a crise, Donne nunca perde sua sagacidade ou seu domínio da língua inglesa. O resultado é um feito tão duradouro que, quando em 2017 o jornal britânico *The Guardian* selecionou os cem melhores livros de não ficção de todos os tempos, *Devoções* de John Donne entrou na lista.

Ao longo dos anos, comprei exemplares de *Devoções* para presentear amigos. "Você leu o livro?", perguntei muitas vezes, só para ouvir acanhadas respostas como: "Tentei, de verdade, mas não consegui superar a linguagem e a sintaxe antiquadas". Algumas das frases de Donne vagueiam através de um labirinto de orações subordinadas e enfileiram mais de duzentas palavras. Apesar das preciosas percepções da obra, poucas pessoas leem esse livro hoje em dia fora de um contexto acadêmico, e até mesmo estudiosos precisam de um comentário que os ajude a explicar certas alusões obscuras.

Donne publicou seu livro apenas uma década depois da aparição da Bíblia do Rei Jaime, que hoje conta com dezenas de traduções e paráfrases para auxiliar o leitor moderno. Num gesto de ousadia ou de loucura, decidi tentar uma paráfrase moderna dessa obra clássica sobre o sofrimento.

Entre outras coisas, a COVID-19 nos fez lembrar que somos mortais; 100% de nós vão morrer. Alguns contemporâneos parecem quase ofender-se ante o fato da morte. Donne escreveu numa época em que a morte era muito normal, quando metade das crianças morria antes de chegar à idade adulta e a expectativa de vida era de trinta e três anos.

A dra. Lydia Dugdale, uma médica de Nova York que atuou na linha de frente do combate ao coronavírus, viu a pandemia como uma oportunidade de recuperação da arte de morrer, ou *Ars Moriendi*. As pessoas da Idade Média se preparavam para a morte como um ator possivelmente se prepararia para uma apresentação final. Os preparativos incluíam o arrependimento de pecados, tentativas de sanar rupturas familiares, divisão do testamento e a reunião de entes queridos para as palavras finais da pessoa moribunda. Enquanto Dugdale trabalhava em seu livro *The Lost Art of Dying: Reviving Forgotten Wisdom* [A perdida arte de morrer: Reavivamento da sabedoria esquecida], por toda parte ao seu redor vítimas da COVID estavam morrendo sozinhas, incapacitadas de falar, isoladas dos membros da família.

Devoções de Donne pode ser visto como uma espécie de prelúdio da morte, embora não no clássico gênero da *Ars Moriendi*. Donne aceitava como uma questão de fato que o sofrimento era verdadeiramente o "megafone de Deus". Isso, porém, não o impediu de responder aos gritos. Ele tinha um estilo mais consoante com o de Dylan Thomas:

> Não entres dócil nessa noite que seduz,
> Velhice deve arder, rosnar no fim do dia;
> Com raiva, raiva contra o morrer de sua luz*

John Donne ardeu, delirou e rosnou. Ao registrar seus conflitos para a posteridade, tornou-se um guia que pode nos ajudar a enfrentar nossos próprios medos e confusão em meio a uma crise, e ao mesmo tempo encontrar saída através dela.

---

*Do not go gentle into that good night, / Old age should burn and rave at close of day; / Rage, rage against the dying of the light.

DIA 2

Qual o sentido disso?

Não importa onde começo, geralmente acabo escrevendo sobre a dor. Meus amigos sugeriram várias razões para essa tendência: uma profunda cicatriz trazida da infância ou talvez uma dose bioquímica extra de melancolia. Não sei. Só sei que me proponho escrever sobre algo lindo, como as diáfanas asas de uma libélula, e logo me vejo de volta às sombras, escrevendo sobre a breve, trágica vida de uma libélula.

"Como posso escrever sobre qualquer outra coisa?" Essa pergunta contém a melhor explicação que posso imaginar. Existe algum fato mais fundamental na vida humana? Nasci na dor, passando espremido por entre tecidos rasgados e ensanguentados, e, como minha primeira prova de vida, apresentei um choro. Provavelmente também vou morrer sentindo dor. Entre esses dois pontos extremos, vou vivendo meus dias, capengando do primeiro até o final. Como diz George Herbert, contemporâneo de John Donne: "Chorei quando nasci, e cada dia mostra por quê".

A doença de John Donne foi apenas o mais recente encontro em uma vida marcada pelo sofrimento. Seu pai morreu no quarto ano de vida de John. A fé católica de sua família mostrou-se uma deficiência incapacitante naqueles tempos de perseguição protestante: católicos não podiam ocupar cargos, eram multados por frequentar a missa, e muitos foram torturados por suas crenças. (A palavra "oprimido" deriva de uma técnica de tortura popular: católicos impenitentes eram deitados embaixo de uma prancha sobre a qual eram acumuladas pedras pesadas para literalmente *espremer* a vida dos mártires.) Depois de distinguir-se em Oxford e Cambridge, Donne não pôde receber nenhum diploma devido a sua filiação religiosa. Seu irmão morreu no cárcere, preso por ter abrigado um sacerdote.

Inicialmente Donne reagiu a essas dificuldades rebelando--se contra toda fé. Notório Don Juan, ele celebrou suas proezas sexuais em alguns dos poemas mais explicitamente eróticos de toda a literatura inglesa. No fim, destroçado pela culpa, renunciou a seu promíscuo estilo de vida optando pelo casamento. Tinha-se rendido ao fascínio de uma beldade de dezessete anos de idade tão vivaz e brilhante que o lembrou da luz solar.

Num golpe de amarga ironia, exatamente quando Donne decidiu sossegar na vida, sofreu uma calamitosa reviravolta. O pai de Anne More decidiu punir seu novo genro, considerando-o desqualificado. Fez que John fosse despedido de seu emprego como secretário de um nobre e mandou prendê-lo na cadeia junto com o ministro que realizou seu casamento. Desconsolado, Donne escreveu seu mais lacônico poema: "John Donne, Anne Donne, Un-done".*

Depois de deixar a cadeia, Donne, agora estigmatizado, não conseguia achar nenhum outro emprego. Tinha perdido qualquer oportunidade de realizar sua ambição de servir na corte do Rei Jaime. Durante quase uma década ele e a esposa viveram na pobreza, numa casa apertada que ia se enchendo de filhos à razão de um por ano. Anne estava sujeita a períodos de depressão, e mais de uma vez quase morreu no parto. John, provavelmente subnutrido, sofria de agudas crises de dor de

---

*Note-se o jogo de palavras: Donne = *done* = feito; *un-* = des; *un-done* = des-feito. (N. do T.)

cabeça, cólicas intestinais e gota. Seu trabalho mais longo nessa fase foi um extenso ensaio sobre as vantagens do suicídio.

Em algum momento durante essa época sombria, John Donne converteu-se à Igreja da Inglaterra. Sua carreira estando bloqueada em todas as direções, ele decidiu, aos quarenta e dois anos, ordenar-se como sacerdote anglicano. Seus contemporâneos mexeriqueiros comentaram sua "conversão de conveniência" e zombaram dele dizendo que na verdade "queria ser embaixador em Veneza, não embaixador de Deus". Mas Donne considerou aquilo uma verdadeira vocação. Obteve um doutorado em teologia na Universidade de Cambridge, prometeu deixar de lado sua poesia por amor ao sacerdócio e dedicou-se exclusivamente ao trabalho paroquial.

Um ano depois de Donne aceitar sua primeira tarefa como capelão, Anne morreu. Anne tinha dado à luz doze crianças ao todo, cinco das quais morreram na infância. John fez o sermão do funeral da esposa, escolhendo como seu texto uma tocante passagem autobiográfica do livro de Lamentações: "Eu sou aquele que viu as aflições" (Lm 3.1). Fez no ato um solene juramento de não voltar a se casar, para evitar que uma madrasta causasse mais tristeza a seus filhos, decisão que consequentemente significou que ele teve de assumir muitas tarefas domésticas.

Esse, então, foi o sacerdote indicado para a Catedral de São Paulo em 1621: um eterno melancólico, atormentado pela culpa de pecados cometidos na juventude, fracassado em todas as suas ambições (exceto a poesia, que havia renegado), maculado por acusações de insinceridade. Dificilmente parecia um candidato provável para elevar o ânimo de uma nação em tempos de peste. Apesar disso, Donne se dedicou energicamente a sua nova tarefa. Recusou-se a juntar-se aos numerosos cidadãos que estavam fugindo de Londres e preferiu ficar com seus sitiados paroquianos. Levantava-se cada manhã às quatro horas e estudava até as dez. Nos tempos da Bíblia do Rei Jaime e de William Shakespeare, as pessoas instruídas de Londres gostavam da eloquência e da elocução, e nesses pontos John Donne era insuperável. Fazia seus sermões com tal vigor que logo, apesar da reduzida população de Londres, a vasta catedral estava apinhada de fiéis.

Durante o período de John Donne como deão da Catedral de São Paulo, a maior igreja de Londres, três surtos da Grande Peste varreram a idade, sendo que a última epidemia sozinha vitimou quarenta mil pessoas. No total, um terço dos cidadãos de Londres perdeu a vida, e outro terço fugiu para o campo, transformando vizinhanças inteiras em cidades fantasmas. Crescia capim entre as pedras da calçada. Profetas imundos e meio loucos percorriam as ruas semidesertas, proferindo julgamentos, e na verdade todo mundo acreditava que Deus havia enviado a peste como um castigo pelos pecados de Londres. Os londrinos acorriam a John Donne em busca de uma explicação, ou pelo menos de uma palavra de conforto.

E foi então que as primeiras manchas da enfermidade apareceram no corpo do próprio Donne. Era a peste, disseram-lhe os médicos. Ele dispunha de pouco tempo. Passou várias semanas acamado no limiar da morte. Os remédios receitados eram tão repulsivos quanto a enfermidade: sangrias, cataplasmas tóxicos, aplicação de víboras e pombos para a remoção de "vapores ruins". Durante esse tempo sombrio, impedido de ler ou estudar, mas tendo a permissão para escrever, Donne travou uma luta de vale-tudo com Deus Todo-poderoso. Durante o tempo que passou acamado, convicto de que estava morrendo, ele compôs o livro *Devoções*.

Alguns autores relatam que o conhecimento da morte iminente produz um estado de elevada concentração, algo semelhante a um ataque epilético; talvez Donne tenha sentido isso enquanto trabalhava em seu diário da enfermidade. O texto não tem aquele seu rigoroso controle. As frases, densas, encadeando-se em associação livre, sobrecarregadas de conceitos, espelham o estado febril da mente do autor. Escreveu como se tivesse de despejar em palavras cada emoção e pensamento significativo que lhe ocorria.

"Inconstante e, portanto, miserável condição do homem! Há um minuto estava bem, estou enfermo neste minuto", assim começa o livro. Qualquer pessoa acamada por mais de alguns dias consegue ver-se nessas circunstâncias, triviais porém insuportáveis, que Donne passa a descrever: uma noite de insônia, tédio, uma junta médica aos sussurros, a falsa esperança de melhora seguida pela terrível realidade da decaída.

Donne se autorretrata como um marinheiro joguete de ondas gigantes num mar em tempestade: ele tem ocasionalmente um vislumbre da terra distante, que logo vai perder com o vagalhão seguinte. Outros autores descreveram as vicissitudes da enfermidade com vigor semelhante; o que diferencia a obra de Donne é seu público-alvo: o próprio Deus. Como Jó, Jeremias e os salmistas, Donne usa a arena de sua provação pessoal como o palco de sua competição de luta livre com o Todo-poderoso. Depois de passar uma vida inteira vagueando confuso, ele finalmente chegou a um lugar onde pode oferecer algum serviço a Deus, e agora, nesse preciso momento, ele sofre o golpe de uma enfermidade mortal. Nada mais se descortina no horizonte a não ser febre, dor e morte.

Qual o sentido disso?

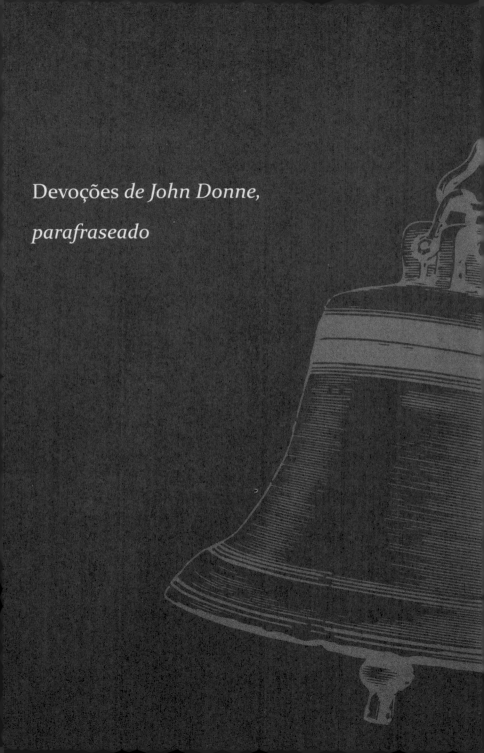

Devoções *de John Donne,*
parafraseado

DIA 3

Estágio um: Primeiros sintomas

Eu me sinto péssimo! Há um minuto estava bem, e agora estou enfermo. Essa doença me pegou completamente de surpresa, e não faço ideia do que a causou. Sigo uma dieta rigorosa e faço muito exercício, mas de que adianta isso? É como se eu tivesse trabalhado por anos para construir uma casa robusta, a duras penas encaixando pedra com pedra, só para vê-la depois destruída por uma súbita explosão. A doença é assim. Apesar de todos os meus cuidados com a saúde, ela chega feito uma intrusa, surrando-me o corpo e assaltando-me a mente.

Que triste nossa condição neste mundo! Deus pode ter plantado uma centelha de imortalidade em nós humanos, mas nos rebelamos, e agora temos de viver nossos dias até o fim à sombra da morte. Ao primeiro sintoma da doença, meus medos assumem o controle. Verifico o pulso, examino a urina, meço a febre. Poderia ser o começo do meu fim? A ansiedade se apossa de minha mente, agravando os sintomas e alimentando o medo. A simples ideia de pegar essa peste me faz adoecer.

Habitamos um planeta sujeito aos caprichos da natureza, que em nosso frágil corpo são duplicados. Tempestades nos afetam, relâmpagos nos cegam, terremotos causam repentinos estremecimentos, o sangue que nos dá vida transborda suas margens. Será essa a ideia que Deus faz da honra, nos conceder a nós humanos a consciência de que a qualquer minuto o sofrimento pode atacar, com um desses tormentos dominantes nos levando à morte? Que outra criatura tem a capacidade de apressar sua própria execução, alimentando a doença com a apreensão de um lado ou a depressão do outro — como se a febre natural não pudesse por si só nos destruir muito rapidamente? Em que triste condição vivemos nós humanos!

Reflexão

Se eu fosse simplesmente um corpo — pó e cinzas — poderia protestar junto ao Senhor, que me fez desse pó e um dia juntará minhas cinzas. A vontade de Deus foi a roda sobre a qual este recipiente de barro foi moldado, e também a urna na qual estas cinzas serão preservadas. Meu pó e cinzas formam o templo do Espírito Santo — poderia o mármore ser mais precioso? Como explicar, então, estes maus-tratos do meu corpo?

Mas não, sou mais do que pó e cinzas. Sou também alma, e nesses termos apresento meu caso diante de ti, meu Deus. Por que a alma não é tão sensível como o corpo? Por que a alma não sente os mesmos alertas precoces acerca do pecado que o corpo sente em relação à doença? Por que o pulso não se acelera na alma ante a aproximação da tentação, e por que as lágrimas em meus olhos não me alertam sobre a doença espiritual?

Às vezes rechaço a tentação, é verdade, mas outras vezes vou, corro, voo pelos caminhos dela. Invado casas onde a peste mora! Fico doente, acamado, enfermo moribundo na prática do pecado; e, no entanto, sem nenhum alerta, nenhum sintoma de minha fraqueza. Nunca reconheço a febre da luxúria, da inveja, da ambição, até ser tarde demais.

Em meio a seu sofrimento físico, teu servo Jó não te incriminou, meu Deus; assim não ouso incriminar-te em meu sofrimento espiritual. No fim das contas, tu imprimiste uma espécie de pulso em nossa alma que marca nossa condição espiritual, mas nós não aferimos as pulsações. Esse pulso é a nossa consciência, que todos nós com demasiada frequência ignoramos. Nós a racionalizamos, a descartamos com brincadeiras, ou bebendo e dormindo — fazendo qualquer coisa para silenciar o alarme.

Será que Deus monta um relógio e se esquece de inserir a mola? Será que Deus infunde em nós sua graça uma vez, mas não de novo? Não, não somos abandonados. Embora eu possa ser um filho pródigo, de algum modo Deus optou por não me renegar. Depois de nos conceder nossa parte da herança e nos ver desperdiçá-la, Deus nos oferece ainda mais.

Somos inquilinos de Deus aqui na terra e, ainda assim, nosso proprietário paga o aluguel — imagine só? Deus nos paga, não anualmente, não trimestralmente, mas a cada hora. A cada minuto, Deus nos concede mais misericórdia.

Oração

Ó Deus todo-bondoso, porque tu és eterno eu sei que és um círculo, contendo o início e o fim e simultaneamente todos os tempos. Nós humanos, todavia, experimentamos a vida como uma linha reta, que nos conduz do nosso princípio através de todos os caminhos até o nosso fim. Torna-me capaz, Pai, por tua graça, de olhar adiante para o meu fim; e de olhar para trás também, relembrando as dádivas generosas que me deste desde o início. Lembrando-me de tua dádiva de estabelecer-me como um pastor na igreja, e tua dádiva muito anterior a essa de inscrever-me no livro da vida — lembrando-me dessas coisas, Senhor, possa eu aprender a recorrer a tuas mercês agora, quando preciso de ti.

Aguça meus ouvidos, Senhor. Quero que meus sinais de aviso sejam acionados de imediato, sempre alerta à furtiva aproximação do pecado, de modo que eu me afaste rápido daquilo que no passado busquei voando. Ouvir tua voz no início de uma enfermidade, de um pecado, é verdadeira saúde. Se consigo discernir tua luz cedo e ouvir tua voz, ó Senhor, *então a luz virá como o amanhecer, e as feridas sararão num instante* (Is 58.8).

Também conheço o perigo oposto: o de uma consciência escrupulosa demais, o de encolher-se de medo a cada bafejo de pecado que me leva a esconder-me e a evitar o mundo a qualquer custo. Sintoniza, em vez disso, minha consciência com tua vontade de modo tão preciso, Senhor, que eu confie que tu falas comigo no início de todas essas enfermidades, na aproximação de todo pecado. Assegura-me de que se eu ouvir tua voz e correr para ti, tu me preservarás da queda, ou me levantarás de novo quando eu de fato cair.

Faz isso, ó Senhor, por amor daquele que conhece nossas enfermidades naturais, pois as provou, e que conhece o peso de nossos pecados, pois pagou um alto preço por eles: teu Filho, nosso Salvador, Cristo Jesus. Amém.

DIA 4

Estágio dois: Falha dos sentidos

Os seres humanos, supostamente as mais nobres criaturas sobre a terra, se derretem como estátuas feitas não de argila ou de ferro, mas de neve. Uma simples febre, calor produzido dentro do corpo, pode nos reduzir a um monte de células mortas. Com que rapidez a febre cobra seu pedágio? Mais rápido do que se consegue responder à pergunta — não, mais cedo do que se pode sequer pensar na pergunta. Quando sinto os primeiros pesados passos da enfermidade que se aproxima, temo pela vitória dela. Meus sentidos se revoltam. Num piscar de olhos, já mal consigo enxergar. De imediato o paladar se torna insípido e fraco, e o apetite, insensível e inapetente. Os joelhos se dobram, as pernas não têm força. À noite o sono, o prenúncio da morte, foge de mim, abrindo caminho para que a original, a morte em si, o suceda.

Como parte da punição de Adão, Deus declarou: *Com o suor do rosto você obterá alimento, até que volte à terra da qual foi formado. Pois você foi feito do pó, e ao pó voltará* (Gn 3.19). A febre amplifica a maldição. Eu ganhei o pão com o suor do meu rosto, e agora suo sem parar, da testa até a sola dos pés, mas não sinto nenhum apetite pelo pão ou por qualquer outra coisa. Triste estado da humanidade, quando metade do mundo não tem comida e a outra metade não tem estômago para ela!

Reflexão

Nenhuma pessoa é tão pequena, comparada com a maior, quanto é a maior pessoa, comparada com Deus. Pense num homem que não tem nada — não, pense numa pessoa escravizada, cujo próprio corpo pertence a outrem — e compare-a com os maiores líderes do mundo: isso dá apenas uma sugestão do que é para mim abordar Deus com a minha voz. Apesar disso, ouso gritar.

Tremendo, pergunto: "Meu Deus, meu Deus, por que lançaste a tua raiva tão rápido contra mim? Por que me aniquilas, me dispersas, me derramas como água pelo chão? Que fiz eu para merecer esse súbito ataque de enfermidade? Tu adiaste o julgamento do mundo por cento e vinte anos nos tempos de Noé. Suportaste uma geração rebelde de israelitas por quarenta anos no deserto. Não suspenderás minha sentença por um minuto? Vá em frente, acaba comigo tão depressa que quando alguém perguntar: 'Por quanto tempo ele ficou doente?' ouça a resposta: 'A morte pressionou-o desde o primeiro minuto'".

Tu nos visitas, Senhor, não em redemoinhos, mas na brisa branda e suave. Tu que sopraste uma alma para dentro de mim, permitirás que teu sopro também me expulse? Certamente não é a tua mão que está me impondo este sofrimento — certamente não. A espada que parte, o fogo que devora, os ventos do deserto e as enfermidades que afligiram Jó vieram das mãos de Satanás, não das tuas.

Ao mesmo tempo, Senhor, eu sei que me guiaste continuamente com a tua própria mão e não me corrigirás com a mão de alguma outra pessoa. Meu pai e minha mãe não me entregariam para eu ser punido por um servo, nem meu

Deus me entregaria a Satanás. Davi, que conheceu o teu castigo, certa vez disse que é *melhor cair nas mãos do Senhor, pois sua misericórdia é grande* (2Sm 24.14). Confiando na misericórdia de Deus, eu transfiro minha mente, da pressa de minha enfermidade que quer dissolver meu corpo, para a muito mais rápida pressa que Deus empregará reformando de novo este pó na ressurreição. Então ouvirei os anjos proclamar: "Levantem-se, todos vocês mortos!". Mesmo jazendo na sepultura, com ouvidos restaurados ouvirei essa convocação, e todos vão ressuscitar, mais rápido do que qualquer um morre aqui.

Oração

Ó Deus todo-bondoso, que aperfeiçoas teus próprios desígnios, tu me lembraste em minha primeira pancada da enfermidade de que devo morrer. Como ela continuou atacando o corpo, tu me lembraste mais ainda de que posso morrer agora. Com os primeiros sintomas me acordaste; com o avanço da enfermidade me derrubaste a fim de me chamar para perto de ti. Embotando-me os sentidos corporais para os prazeres do mundo, aguçaste meus sentidos espirituais para que eu tomasse consciência de mim mesmo. Depois de despojar-me de mim, estás me vestindo de ti.

Como meu corpo continua deteriorando-se, ó Senhor, eu só te peço que aceleres o ritmo e eleves minha alma rumo a ti. Meu paladar não desapareceu, mas mudou seu desejo: sentar-me à mesa de Davi, *provar e ver que o Senhor é bom* (Sl 34.8). Meu estômago não sumiu, mas subiu, rumo à ceia do Cordeiro com os santos no céu. Meus joelhos cederam, mas por causa disso posso mais facilmente ajoelhar-me e concentrar-me em ti. Um coração em paz *dá saúde ao corpo*, e um coração direcionado para ti é um coração em paz (Pv 14.30).

Davi escreveu: *Por causa de tua ira, todo o meu corpo adoece; minha saúde está arruinada, por causa de meu pecado* (Sl 38.3). Interpreta para mim o que está acontecendo, Senhor. Se tu chamas esta enfermidade correção, e não raiva, então talvez reste em minha carne alguma saúde. Transfere meus pecados, que te desagradam, para aquele que é tão de teu agrado, Cristo Jesus, e firmeza me retornará aos ossos.

Ó meu Deus que apareceste a Moisés na sarça ardente, no meio deste emaranhado de espinhos da doença, eu te peço que me apareças. Fica perto de mim, até mesmo nestes tempos agudos e espinhosos. Faz isso, ó Senhor, pelo amor dele, que foi nada menos que o Rei do céu para ti aceitando ser coroado de espinhos neste mundo.

DIA 5

Estágio três: Acamado

Nós humanos temos uma única vantagem: ficamos eretos e em pé, diferentemente de outras criaturas que têm de rastejar no chão. O céu representa nossa verdadeira morada, e nossa própria postura nos permite contemplar aquele lugar onde nossa alma vai um dia encontrar seu descanso. Todavia, como caímos rápido! Adão jazia estirado sobre o chão quando Deus insuflou nele o sopro de vida, e quando chega o tempo de retirar de nós aquele sopro, nós nos preparamos jazendo estirados em nossa cama. Uma febre pode destituir qualquer um de nós de seu cargo, pode fazer uma cabeça que ontem usava uma coroa de ouro cair ao chão. O ditador fica no mesmo nível das pessoas que ele pisoteou; o juiz que assina indultos fica fraco demais para erguer a mão e implorar o próprio indulto.

Até mesmo uma apertada cela de prisão permite ao preso dois ou três passos, ou pelo menos espaço suficiente para ficar de pé ou sentar-se e beneficiar-se de alguma mudança de postura. Contrastando com isso, o leito de um enfermo é uma sepultura na qual a cabeça jaz no nível dos pés. Cada noite de sono prenuncia a morte, quando ficamos deitados imóveis, insensíveis. De nosso leito de enfermo não sabemos dizer em que dia, semana ou mês vamos nos levantar — se é que vamos. Estar acamado me prende os pés e algema as mãos como se eu estivesse acorrentado a um tronco. Posso sentir os nervos e as articulações se afrouxando.

Na sepultura vou continuar falando: por intermédio do epitáfio em minha lápide, da memória de meus amigos, das palavras que deixo ao partir. Aqui na cama, sou apenas o fantasma de mim mesmo. Quando tento conversar com visitas, eu as assusto. Pensam o pior a meu respeito e, no entanto, ainda temem o pior. Já me dão por morto agora e, no entanto, se perguntam como estou ao acordarem à meia-noite; amanhã vão indagar como vou indo.

É uma situação triste, desumana, embora comum a todos nós. Devo praticar para a chegada da morte ficando deitado imóvel, mas já não posso levantar-me para praticar a ressurreição.

Reflexão

Meu Deus e meu Jesus, minha força e salvação, tu censuraste teus discípulos por repreenderem quem trazia crianças para ti. *Deixem que as crianças venham a mim*, tu disseste (Mt 19.14). Existe uma criança mais criança do que eu agora? Teu servo Jeremias protestou: *Não sou capaz de falar em teu nome! Sou jovem demais para isso!* (Jr 1.6). Ó Senhor, sou uma criança sendo amamentada que não consegue comer, uma criança que engatinha e não consegue avançar. Tenho um temperamento infantil: não consigo sentar e, no entanto, não gosto de ir para a cama.

Senhor, como posso te abordar desta cama, dificilmente o lugar normal de nosso encontro? Tu estás me acusando, punindo-me por pecados anteriores ao prostrar-me neste leito? Isso não equivale a enforcar um ser humano pendurando-o em sua própria porta, a confinar um enfermo em seu próprio leito de promiscuidade? Davi jurou que não subiria a seu leito antes de construir um templo para ti. Quando *decidimos* ir para a cama, isso demonstra força e nossa necessidade de renovação. Como posso te abordar, todavia, quando tu me pregaste a meu leito? Tu ainda continuas ativo em minha congregação, mas eu, o pastor dela, estou trancafiado num confinamento solitário.

Quando o servo do centurião estava acamado enfermo em sua casa, seu patrão correu para Cristo porque o servo enfermo não podia fazê-lo. Quando o amigo deles estava paralítico, quatro homens caridosos o trouxeram para Cristo. A sogra de Pedro estava acamada com febre, e Cristo foi até ela, porque ela não podia ir até ele. Amigos de minha congregação podem igualmente me levar para ti em suas orações, e eu tenho de aguardar, impotente, a tua visita.

Estou deitado, preso à cama, meus fracos nervos funcionando como correntes de ferro e estes delgados lençóis como portas de ferro sobre mim. Deitado aqui, digo com o salmista: *Amo o teu santuário, Senhor, o lugar onde habita tua presença* (Sl 26.8). Contudo, não posso ir para a tua casa, a igreja. Não estou me afastando de ti; em vez disso, estou impossibilitado de te adorar. Sinto-me excomungado, e anseio pela comunhão.

Tu amas a ação, Senhor, e eu sou um pregador incapacitado de exercer minha vocação. Na sepultura ninguém pode te louvar e à porta da sepultura, este leito de enfermo, ninguém consegue ouvir-me te louvar. Tocaste meus lábios para que minha boca pudesse te exaltar em público. Agora me atormenta o medo que afetou Paulo, de que, *depois de ter pregado aos outros, eu mesmo não seja desqualificado* (1Co 9.27). Abatido, receio que eu também possa ser reprovado.

Há uma outra situação — ou deveria dizer prostração — ainda mais baixa do que este leito de enfermo. Amanhã posso ser colocado sobre o chão e ainda no dia seguinte, na sepultura, o ventre da terra. Agora Deus me suspende entre o céu e a terra, como um meteoro. Um corpo terreno me impede de entrar no céu, e uma alma celeste me sustenta sobre a terra.

Tu poderias me levar embora numa carruagem, como levaste Elias. Em vez disso, escolheste teu próprio modo privado de me levar para casa, o mesmo meio pelo qual levaste teu Filho. Primeiro ele prostrou-se por terra e orou. Depois teve sua exaltação (a palavra que ele usou para sua crucificação). Só depois de descer aos infernos ele ascendeu.

Tua mão me golpeou e me pôs nesta cama, Senhor Jesus. Portanto, se eu por acaso me recuperar, confio que tu vais redimir o resto de minha vida, tornando benéfica para mim a lembrança desta enfermidade. E se meu corpo se desgastar ainda mais, tu tirarás minha alma deste banho de suor e a apresentarás a teu Pai, lavada muitas e muitas vezes em tuas próprias lágrimas, em teu próprio suor, em teu próprio sangue.

Oração

Ó todo-poderoso e misericordioso Deus, mesmo tendo-me derrubado, tu não me separaste de meu alicerce, que consiste em ti mesmo. Mesmo tendo-me destituído de uma postura ereta, em que eu podia ficar de pé e ver os céus, tu não reduziste a luz através da qual posso te ver. Embora tenhas enfraquecido meus joelhos de modo que não posso curvar-me para ti, os joelhos do meu coração estão dobrados para ti para sempre.

Tu fizeste desta cama teu altar; fizeste de mim teu sacrifício, como fizeste com teu Filho Cristo Jesus. Ele é o sacerdote, então faz de mim seu diácono, para servi-lo alegremente entregando corpo e alma para teu agrado, pelas mãos dele. Venho a ti, ó Deus, abraçando tua vinda a mim. Venho alimentando a confiança que Davi mostrou quando disse: *O Senhor cuida dele quando fica doente e lhe restaura a saúde* (Sl 41.3).

Ampara-me nesta cama, Senhor, de modo que, para qualquer lado que eu me volte, eu me volte para ti. Quero sentir tua mão sobre meu corpo, e sobre minha cama, para que eu aceite tanto o castigo quanto o refrigério como fluindo de uma única e mesma fonte, a tua mão.

Tu transformaste as plumas deste leito em espinhos, no rigor desta enfermidade. Assim, Senhor, transforma de novo estes espinhos em plumas, plumas de tua pomba, o Espírito Santo. Estando eu nesta condição vulnerável, Senhor, não me digas: "Agora vou encontrar-me contigo no mesmo quarto onde tantas vezes te afastaste de mim".

Tendo queimado este leito com febres ardentes e tendo-o lavado com abundante suor, ó Senhor, capacita-me a refletir em meu leito e acalmar-me (Sl 4.4). Fornece-me outro leito para os meus pecados prévios enquanto ocupo este leito, e uma sepultura para os meus pecados antes de eu chegar à minha sepultura. E quando eu tiver depositado aqueles pecados nas feridas do teu Filho, permite-me descansar na certeza de que minha consciência está lavada e limpa e minha alma está livre do perigo.

Age assim, ó Senhor, por amor dele, teu Filho e nosso Salvador, Cristo Jesus, que tanto fez para que tu pudesses, em tua justiça bem como em tua misericórdia, fazer o mesmo por mim.

DIA 6
Estágio quatro: Chamando o médico

O corpo humano, com suas múltiplas partes, é um pequeno mundo. Se essas partes fossem estendidas por todo o mundo — as veias do corpo até os rios, os nervos até os veios das minas, os músculos ondulantes até as colinas, os ossos até as pedreiras, e todas as outras partes estendidas proporcionalmente — nem o próprio céu poderia nos conter.

Nesse mundo expandido do corpo, nossos pensamentos são como gigantes invisíveis que viajam de leste a oeste e da terra ao céu, atravessando não apenas o mar e a terra, mas atingindo também as estrelas, abrangendo todas elas. Inexplicável mistério: apesar de confinado na prisão de meu leito de enfermo, posso enviar meus pensamentos até o sol e além dele.

Mais: como o mundo exterior produz serpentes e víboras, vermes e lagartas — criaturas malignas, venenosas que devoram o próprio mundo que lhes dá vida — assim este nosso mundo interior produz doenças venenosas e infecciosas que de nós se alimentam e nos consomem. Ó triste abundância, ó falsas riquezas! Não só não temos remédios para todos os males, como para muitos deles não temos nem o nome.

Todavia, temos um Hércules para combater esses monstros: o médico, que reúne todas as forças da natureza para aliviar o paciente. Temos de recorrer aos médicos, porque precisamos de seus conhecimentos e formação. De fato, não dispomos nem mesmo dos instintos de cura dos animais.

Ouvi dizer que um cervo, perseguido e ferido por uma flecha, conhece uma erva capaz de curar sua ferida. Até o cão de caça, quando doente, sabe comer o capim que restaura sua saúde. Sem o instinto inato para remédios naturais, nós frágeis humanos temos de recorrer ao farmacêutico e ao médico. Retiro todas as minhas reflexões sobre o exaltado ser humano: como posso falar de nossa expansiva grandeza, quando uma doença tão facilmente nos reduz a um punhado de pó? O que acontece com meus elevados pensamentos quando a doença me leva ao vazio, à inconsciência da sepultura?

Estou acamado, indefeso e sozinho em casa: está na hora de mandar chamar o médico.

Reflexão

Pode me faltar a probidade de Jó, mas tenho o mesmo anseio dele: *Quero falar diretamente com o Todo-poderoso, quero defender minha causa diante de Deus* (Jó 13.3). Meu Deus, quando devo chamar o médico, e até que ponto devo confiar nele? Sei que tu criaste a medicina, o médico e a arte da cura, e não estou te abandonando quando recorro ao médico. Tu não criaste roupas antes que os primeiros humanos sentissem vergonha de seu corpo nu, mas providenciaste remédios naturais desde o início.

Tu criaste os remédios prevendo que precisaríamos deles em breve? Não, da mesma forma que não foi prevendo que pecássemos que nos criaste. Tu previste as duas consequências, mas não causaste nenhuma delas. Teu desejo para nós é a saúde, não a doença. "Você quer ficar bom?", perguntava teu Filho ao encontrar alguém com uma enfermidade. Todas as vezes ele respondia com a cura.

Será um perigo, porém, eu me entregar totalmente ao médico, confiando nele a ponto de negligenciar a cura espiritual de que também preciso? Revela-me teu plano, ó Senhor, e guia-me no caminho que te dá glória e me concede perdão. Faço minha a oração de teu servo Davi: *Tem compaixão de mim, Senhor, pois estou fraco; cura-me, Senhor, pois meus ossos agonizam* (Sl 6.2).

Sei que minha fraqueza pode apelar para tua misericórdia, e minha enfermidade propicia uma ocasião para tu me dares saúde. Responde a minha miséria com compaixão, eu te rogo. Por tua graça, usei este tempo para me arrepender do pecado e para dar a outros uma parte do pouco que tu me concedeste. Fiz minha parte, e agora estou pronto para mandar buscar o médico.

Devo, porém, dizer que espero ouvir de meu médico as palavras que Pedro disse ao homem entrevado em seu leito por oito anos: *Jesus Cristo cura você! Levante-se e arrume sua maca* (At 9.34). Anseio pelo poder do Senhor para me curar.

Oração

Ó Deus da saúde e do vigor, olha para mim. Acossado pela fúria de duas doenças, eu preciso de dois médicos, um para o corpo e um para a alma. Abençoo e glorifico teu nome, pois, nos dois casos, tu supres a ajuda de que preciso. Tu és vida, e nossa saúde vem de ti.

Cura-me, ó Senhor, pois quero ser curado. Mantém-me longe daqueles que falsamente professam a arte de curar a alma ou o corpo por meios não provenientes de ti, na igreja ou na natureza. Nenhuma saúde espiritual se pode obter pela superstição, nenhuma saúde corporal pela magia. Tu és o Senhor dos dois tipos de cura, e em teu Filho tu és o médico. *Ele foi ferido por causa de nossa rebeldia*, profetizou Isaías (53.5); mesmo antes que Jesus fosse açoitado, fomos curados por suas feridas.

Tu prometeste curar a terra, se seus habitantes simplesmente orassem. Cura esta terra, ó Deus, com lágrimas de arrependimento, e cura estas águas, estas lágrimas, de toda amargura, de toda desconfiança, de toda depressão, implantando em mim uma fé inabalável. Teu filho *viajou por toda a região da Galileia, curando as pessoas de todo tipo de doenças* (Mt 4.23). Nenhuma doença é incurável, nenhuma difícil — ele as curava todas de passagem e não deixava resquícios da enfermidade. Será que esse médico universal vai passar por este hospital, e não vem me visitar?

Se este tiver de ser meu último dia, imprime em mim a saúde espiritual. Nesse ínterim, minha saúde corporal está agora nas mãos de outros que podem me ajudar; que eles façam isso da maneira que mais te glorifica e mais edifica os que observam o cuidado deles.

DIA 7

Estágio cinco: Quarentena

Se a nossa maior miséria é a enfermidade, a maior miséria da enfermidade é a solidão. O medo do contágio amedronta os assistentes de quem preciso, e até mesmo o médico hesita me visitar. O resultado disso é que fico aqui acamado sozinho, isolado, uma tortura que nem o inferno ameaça me impor.

Quando eu estiver morto, e meu corpo puder infectar outras pessoas, então existe um remédio: vão me enterrar. No entanto, quando estou enfermo e poderia infectar outros, o único remédio que as pessoas têm é ficar longe de mim, deixando-me na solidão. O contágio oferece uma pronta desculpa a supostos amigos que fingem preocupar-se, mas que na verdade não se preocupam. Ao mesmo tempo, ele impede a presença daqueles que realmente querem prestar ajuda, porque correriam o risco de transmitir a infecção a outras pessoas.

Uma doença prolongada cansa os melhores amigos, mas uma epidemia os afasta desde o início. Para pacientes como eu, parece uma espécie de sentença de prisão, que nos separa tanto da companhia quanto da caridade.

A solidão contraria a ordem natural, pois todas as ações de Deus manifestam um amor comunitário. O céu em si contém ordens de anjos e uma comunhão de santos. Para onde quer que olhemos, a pluralidade vigora: nas espécies, nas estrelas e seus planetas, que poderiam incluir outros mundos como o nosso. Na terra, nossas famílias, cidades, igrejas e academias, todas incluem multidões. Imediatamente depois de declarar que a criação era boa, Deus viu que não era bom que o ser humano estivesse só. Assim Deus criou uma ajudante para Adão, alguém para aumentar nosso número sobre a terra.

Contrastando com isso, com uma doença infecciosa estou condenado à solidão, deixado absolutamente a sós. Isso parece pior que uma sepultura, pois embora em ambas eu esteja sozinho, somente na minha cama eu sei disso e sinto isso. E na minha cama, embora ainda não na minha cova, minha alma continua presa num corpo infeccioso.

Reflexão

Ó Deus, meu Deus, teu Filho não se opôs a Marta quando disse a ela: *Seu irmão vai ressuscitar*, e ela expressou sua decepção: *Ele vai ressuscitar quando todos ressuscitarem, no último dia* — porque ele conhecia a dor e tristeza dela (Jo 11.23-24). Não te oponhas, portanto, quando eu te digo: *É melhor serem dois que um* e *quem cai sem ter quem o ajude está em sérios apuros* (Ec 4.9-10).

Sei que teu Filho muitas vezes se sentiu isolado e só. Todavia, a qualquer momento ele poderia ter pedido ao Pai a proteção de *milhares de anjos* (Mt 26.53). Assim como ele disse: *Não estou sozinho; o Pai, que me enviou, está comigo* (Jo 8.16), eu também não duvido de que sempre estarei contigo, mas não sei dizer se esta doença pode afastar meus amigos e entes queridos. Não tenho dúvidas de que tu observas compassivo meu estado de deterioração, mas e os outros que veem minha decadência espiritual e mental — como reagirão eles?

Não consigo suportar essa agonia sozinho. Meu espírito não consegue sobreviver sem ti, pois perdi o apoio da família e dos amigos. Se tu me abandonares, estarei miseravelmente só. O próprio Elias titubeou ante essa perspectiva: *Sou o único que restou, e agora também procuram me matar* (1Rs 19.10). Tampouco Jeremias conseguiu proferir um lamento mais forte do que dizer: *A cidade que antes era cheia de gente agora está deserta* (Lm 1.1).

Israel bania os que haviam contraído a lepra para que vivessem isolados. Será que contraí uma lepra de tal natureza que devo morrer isolado, marginalizado por quem me confortaria, e sozinho e sem ti, meu Deus?

Preciso parar, porque minhas queixas beiram a blasfêmia. Lembro-me de que Moisés recebeu a ordem para aproximar-se de Deus *a sós*, e de que Deus veio até Jacó quando ele estava *sozinho*, e depois lutou com ele a noite inteira (Gn 32.24). Será que um estado de solidão e abandono nos prepara melhor para que Deus se aproxime? Como Jacó, estou no abandono para lutar contigo e com minha consciência, Senhor, de uma forma que não aconteceria se outros estivessem presentes para me consolar.

Mas há esperança. O Senhor providenciou-me, numa única pessoa, um médico que é também meu sincero amigo.

Oração

Ó Deus eterno e todo-bondoso, tu que somente uma vez invocaste fogo do céu sobre cidades pecadoras, e somente uma vez abriste a terra para que engolisse blasfemadores, tu tantas vezes mostraste a tua misericórdia. Já desde o início, deste a Adão uma ajudante perfeita para ele. Assim, quer desejes preservar-me por mais tempo sobre esta terra, quer desejes dispensar-me pela morte, eu imploro a ajuda de que preciso para enfrentar uma ou outra dessas possibilidades.

Eu te peço que protejas este corpo de infecções que possam impedir algumas pessoas de me visitar e pôr em risco quem de fato o fizer. Da mesma forma, guarda minha alma de qualquer desordem que venha a abalar minha certeza de que me amarás até o fim. Fecha as portas de meu coração, meus ouvidos, minha casa, a qualquer usurpador que possa minar minha fé em meus momentos de fraqueza, ou difamar-me depois da morte com falsos rumores de que morri duvidando de ti. Que eu permaneça como exemplo para outros de que tu foste meu Deus, e eu teu servo, até o fim.

Abençoa a perícia e o trabalho deste médico que mandaste me assistir. Sendo que tu me tomaste pela mão e me puseste nas mãos dele, eu nele deposito minhas esperanças, e em ti minhas orações, sem condição alguma. *Venha o teu reino, seja feita a tua vontade* (Mt 6.10): que ele prospere e me alivie, ao teu modo, ao teu tempo e na tua medida. Amém.

DIA 8

Estágio seis: Medo

Eu analiso o médico com a mesma diligência com que ele analisa a minha enfermidade. Noto que ele está assustado, e isso me assusta ainda mais. Enquanto ele delibera, eu o ultrapasso, corro mais que ele em seu medo. Obviamente, ele está tentando disfarçar o medo, o que me deixa ainda mais ansioso. Os médicos sabem que os temores dos pacientes muito provavelmente retardam seus esforços visando a cura.

Exatamente como o dano causado a um único órgão pode afetar todos os sinais vitais do corpo, assim o medo se insinua em cada processo da mente. Do mesmo modo, como os gases no corpo podem simular qualquer enfermidade e assemelhar-se à gota ou a cálculos biliares, assim o medo pode simular qualquer doença da mente. O que parece amor poderia ser o desconfiado medo do ciúme. O que parece coragem diante do perigo poderia ser apenas o medo de ser humilhado. Um homem que não tem medo de um leão pode ser assustado por um gato.

De que é que eu tenho medo neste exato momento? Não tanto da morte, mas sim da progressão da doença. Eu iria contra a natureza se negasse esse medo, e iria contra Deus se temesse a morte. Minha fraqueza provém da natureza; minha força vem de Deus.

Eu digo a mim mesmo que nem todos os calafrios são uma peste, nem todos os tremores são um estupor; tampouco todos os temores são motivo de pânico, assim como nem todos os desejos de alívio são um protesto ou sinal de desespero. Meu médico não deixa que o medo impeça seu trabalho. Eu não devo deixar que meu medo me impeça de receber dele — ou de Deus — a assistência e o consolo de que preciso.

Reflexão

O medo pode sufocar um relacionamento. Antes de criar coragem e dirigir-se a ti pessoalmente, teu servo Jó disse a teu respeito:

> Deus não é ser humano, como eu;
> não posso discutir com ele nem levá-lo ao tribunal.
> Se ao menos houvesse um mediador entre nós,
> alguém que nos aproximasse um do outro!
> Ele afastaria de mim o castigo de Deus,
> e eu já não viveria aterrorizado.
> Então falaria com ele sem medo,
> mas, sozinho, não consigo fazê-lo.
>
> Jó 9.32-35

Tu me mandas falar contigo e ao mesmo tempo temer-te — essas duas atitudes não se excluem mutuamente? No entanto, não há contradição em ti, meu Deus, meu sol e minha lua, que me orientas igualmente bem na noite da adversidade como no dia da prosperidade. Devo então falar contigo o tempo todo. Quando, portanto, devo temer-te? Igualmente o tempo todo.

Alguma vez censuraste um mendigo por ser importuno? Tu nos deixaste a parábola do juiz que no fim cedeu devido à tenacidade de um cliente, a fim de nos transmitir a ideia de que devemos *orar sempre e nunca desanimar* (Lc 18.1-8). Em outra parábola, tu nos falaste de um homem que à meia-noite estava em sua cama e levantou-se por causa das fortes batidas à porta, não por causa da amizade, mas por causa da pura audácia de seu amigo (Lc 11.5-8).

Deus está sempre disponível. Ore a Deus à meia-noite em sua cama, e Deus não dirá que vai ouvir você quando estiver de joelhos no dia seguinte. Ore de joelhos, e Deus não dirá que vai ouvir você no domingo na igreja. A oração nunca é inoportuna, porque Deus nunca dorme e está sempre presente. Mas, meu Deus, como posso conversar à vontade contigo, em qualquer lugar, a qualquer hora, se tenho medo de ti? Posso fazer essa pergunta? Há mais ousadia na pergunta do que na resposta. Tu aprecias minha aproximação embora eu tenha medo de ti; não posso fazer essa aproximação sem temer-te.

De fato, tu estabeleceste que se nós temermos a ti, nada mais precisamos temer. *O Senhor é minha luz e minha salvação; então, por que ter medo?* (Sl 27.1). Grandes inimigos? Não há inimigo capaz de assustar quem teme a ti. Que dizer da carestia? *Até mesmo os leões jovens e fortes passam fome, mas aos que buscam o Senhor nada de bom faltará* (Sl 34.10). Jamais? Embora isso possa ser verdade por um tempo, as condições poderiam piorar. *Por que terei medo quando vierem as dificuldades?*, perguntou Davi (Sl 49.5). Embora seus pecados houvessem tornado seus dias ruins, ele não os temia. E quando o mal resulta em morte? Não devemos temer nem a sentença de morte se temermos a Deus.

Muito pelo contrário, tu fazes que outros tenham medo de nós: *Herodes temia João e o protegia, sabendo que ele era um homem justo e santo* (Mc 6.20). Quão plenamente então, ó Deus, quão suavemente tu me tranquilizas em relação a qualquer apreensão acerca de meu temor de ti. Deve ter sido isso que quiseste nos transmitir quando disseste: *O Senhor é amigo dos que o temem*, revelando assim o segredo do uso correto do temor (Sl 25.14). Tenha medo e beneficie-se disso; oriente-se por isso e não se deixe deprimir com isso. É óbvio que nem todos os temores são benéficos. Há medos que nos enfraquecem para o serviço de Deus. *Por que vocês estão com medo? Como é pequena a sua fé!*, admoestaste certa vez os teus discípulos (Mt 8.26). Existe também um medo que é consequência de pecados anteriores. E aqueles que te rejeitam estão sujeitos a todos os medos. No entanto, tu nos darias um medo apropriado como uma espécie de lastro para nos transportar com estabilidade em todos os climas.

Paradoxalmente, o medo e a alegria andam juntos. As mulheres que receberam de um anjo as primeiras notícias da ressurreição abandonaram o túmulo correndo, *assustadas mas cheias de alegria* (Mt 28.8). O amor, também, convive com o medo. Em muitas passagens somos convocados a temer a Deus, e no entanto, formando a base desse mandamento, temos: *Ame o Senhor, seu Deus* (Dt 6.5); quem não faz as duas coisas não faz nenhuma.

Davi e seu filho Salomão ambos afirmaram que *O temor do Senhor é o princípio do conhecimento* (Sl 111.10; Pv 1.7). Uma pessoa sábia, portanto, nunca deixa de ter medo. Embora eu não reivindique nenhum outro grau de sabedoria, dessa tenho muita, em abundância. Estou aqui deitado, tomado pelo medo, tanto de que esta doença seja tua imediata correção e não um mero acidente, quanto de que seja uma coisa assustadora cair em tuas mãos. Contudo, esse medo me poupa de todos os medos indevidos, porque tu nunca me deixarás cair da tua mão que me sustenta.

Oração

Ó Deus de toda verdadeira tristeza e verdadeira alegria também, de todo temor e toda esperança também, como tu me deste um arrependimento do qual não vou me arrepender, dá-me também um medo do qual eu não tenha medo. Concede-me emoções afáveis, flexíveis e ajustadas, de modo que, como me alegro com quem se alegra e choro com quem chora, possa também temer com os que temem. Enquanto isso, uma vez que estou percebendo meu próprio perigo por intermédio do medo do médico que veio me socorrer, não permitas que me esquive da indispensável tarefa de me preparar para o pior, a passagem desta para a outra vida.

Embora muitos de teus abençoados mártires tenham deixado esta vida sem evidências de medo, teu abençoadíssimo Filho não fez isso. Os mártires eram humanos e, portanto, foi do teu agrado enchê-los com teu Espírito e poder, tornando-os mais que humanos. Contrastando com isso, teu Filho, declarado por ti ser Deus, teve de mostrar-se como homem. Que eu não me envergonhe de meus medos, ó Deus, mas permite que os sinta como ele o fez, submetendo-os todos a tua vontade.

Depois que tu inflamaste e então derreteste minha antiga frieza com esta febre, e apagaste meu antigo ardor com estes suores, e corrigiste minha antiga negligência com estes temores — depois de tudo isso, ó Senhor, aceita considerar-me digno de ti. Quer seja de teu agrado dispor deste corpo, este meu vestuário, para ulteriores usos neste mundo, quer prefiras guardá-lo no guarda-roupa comum, a sepultura, para o mundo futuro, glorifica-te em tua escolha agora e glorifica-a depois, com a glória que teu Filho angariou para aqueles que participarão de sua ressurreição. Amém.

DIA 9

Estágio sete: A junta médica

Percebo mais medo em meu médico, e por isso mais motivo de medo em mim. Se o médico pede ajuda, a doença deve estar avançando. Um outono se aproxima, embora eu não saiba se é o outono da doença ou o meu. Se for o meu, nós dois vamos morrer, pois a doença não pode sobreviver-me. Quanto a meu médico, ele astutamente chamou outros para uma consulta. Se o perigo for grave, ele agora terá testemunhas para ajudá-lo a determinar sua escolha do tratamento. Se o perigo não for muito grande, ele estará humildemente compartilhando o crédito e a honra pelo trabalho que iniciou sozinho. Ambas as saídas mostram sábia liderança.

Não diminui um monarca o fato de ele confiar na sabedoria de outras pessoas. Os romanos começaram com um rei, depois passaram pela experiência de terem dois cônsules, em seguida, em situações emergenciais, voltaram a ter um único ditador. Independentemente disso, o estado é mais sadio quando suas políticas são executadas por um conselho grupal e não por um único governante. As doenças parecem conspirar sobre como podem cooperar para destruir um determinado corpo — não deveríamos nós esperar então que diversos médicos atuassem em conjunto para combatê-las?

Vivemos no fio de uma navalha de perigo mortal. A morte assoma à porta de uma pessoa idosa, insinuando sua presença, enquanto ao mesmo tempo também se esgueira numa emboscada pelas costas de uma pessoa jovem. Qualquer coisa pode nos matar — um veneno, o engasgo com uma pena, até mesmo uma reação alérgica a nossos melhores remédios. Alguns morreram de alegria, como o poeta Dionísio, que sucumbiu vítima de uma bebedeira promovida para celebrar seu prêmio por uma peça triunfante.

Para preservar nossa saúde, na minha opinião, quanto maior o número de assistentes melhor. Devo considerar os especialistas que enchem meu quarto não como arautos da morte, mas como guardiões da vida, um coro de confortadores.

E, no entanto, ao mesmo tempo que me entrego aos cuidados de meus médicos, não posso deixar de me compadecer com quem carece desses cuidados. Quantos jazem mais enfermos do que eu, deitados em seus lamentáveis colchões de palha em casa, não tendo mais perspectiva de ajuda se vierem a morrer do que de conforto se continuarem vivos? Não esperam ver um médico, e a primeira pessoa que passa a ter notícia deles é o sacristão que os enterra no esquecimento. Os números dessas pobres almas enchem diariamente os gráficos dos mortos, mas nós nunca saberemos os nomes deles até o dia em que os leremos no livro da vida juntamente com o nosso.

Quantos jazem mais enfermos do que eu, jogados em hospitais, onde (como peixes deixados na areia devem aguardar a maré alta) eles têm de aguardar a hora da visita do médico, para então receber apenas uma breve, casual atenção? Quantos jazem ainda mais enfermos, e não têm um hospital para acolhê-los, nem um colchão de palha para deitar-se nele e ali morrer? Moradores de rua, eles têm sua lápide sob os pés e entregam a alma diante de transeuntes que desviam seu olhar. Não têm nenhum remédio, nenhum alimento: para eles, um mingau comum seria um sustento; sobras descartadas, um fortificante; migalhas de nossas mesas, nutrientes.

Ó minha alma, quando não é suficientemente grata para bendizer a Deus, que por sua misericórdia lhe proporciona tantos auxiliares, lembre-se de quantos não os têm e faça o que puder para ajudá-los.

Reflexão

Meu Deus, teu servo Agostinho te implorou que o próprio Moisés pudesse vir e explicar o que ele quis dizer com diversas passagens de Gênesis. Que eu possa pedir uma orientação semelhante do teu Espírito que inspirou o teu livro.

Acredito que quando o apóstolo Paulo escreveu a Timóteo: *Apenas Lucas está comigo*, ele agiu com um toque de queixume e lamento (2Tm 4.11). Embora Lucas fosse um parceiro fiel e capaz no trabalho do apóstolo, mesmo assim Paulo se sentia sozinho contando apenas com a presença de Lucas. De fato, Lucas era médico, e isso sugere que nós podemos precisar de mais do que um médico ao nosso lado.

Quando o sogro de Moisés o persuadiu a libertar-se das minúcias do governo, ó Deus, teu próprio Espírito convenceu Moisés a distribuir o trabalho entre setenta anciãos de Israel, embora ele tivesse dons superiores a todos eles.

Ou, então, eu reflito sobre como tu empregas multidões de anjos. *Que todos os anjos de Deus o adorem*, diz Hebreus referindo-se a teu Filho (1.6). Quando ainda estava neste mundo, Jesus disse que poderia pedir a seu Pai *milhares de anjos* para sua proteção (Mt 26.53), e no último dia, quando céus e terra serão uma coisa só, o Filho do Homem virá *em sua glória, acompanhado de todos os anjos* (Mt 25.31).

Um coro de anjos anunciou o nascimento de Jesus aos pastores, e dois anunciaram o seu segundo nascimento, a ressurreição, a Maria Madalena. Jacó sonhou com uma multidão de anjos subindo e descendo por uma escada, o portal entre o céu e a terra, entre Deus e nós. Os anjos se apressam em nos afastar de lugares perigosos e da tentação, como fizeram com Ló tirando-o de Sodoma (Gn 19.15-16), e depois da morte transportam nossa alma, como fizeram com o mendigo Lázaro (Lc 16.22). Constatamos o poder individual dos anjos, pois numa única noite um único anjo destruiu quase duzentos mil soldados assírios do exército de Senaqueribe (2Rs 19.35); no entanto, tu com frequência empregas mais do que um para atender teus servos.

Temos quatro autores dos evangelhos, não um só. E, antes de subir aos céus, o próprio Jesus nomeou muitos outros para levar adiante sua obra. Eu confio minha alma à comunhão universal de tua igreja e ao pão e corpo de teu Filho, para que mediante todos os méritos de sua morte ele possa me restaurar neste mundo e estabelecer-me no que está por vir. Teu método, desde o início, foi multiplicar teus auxiliadores, e assim seria ingratidão da minha parte não aceitar a misericórdia de muitos auxiliadores para a minha saúde corporal.

Oração

Ó Deus eterno e todo-bondoso, tu deste maná aos israelitas no deserto, uma espécie de pão de tal natureza que, para cada pessoa que o provava, tinha o sabor de sua comida preferida. Humildemente, eu te peço, faz que esta enfermidade, que aceito como parte do meu pão de cada dia, tenha esse gosto para mim — não como eu quereria, mas como tu quererias que ela tivesse. Que teus castigos possam ter o gosto de humilhação e ao mesmo tempo de consolo, de perigo e também de segurança.

Como teu fogo seca, assim também ele esquenta; e como tua água umedece, assim também ela esfria. Ó Senhor, que essas duas operações possam atuar em minha alma: que a aflição me volte para ti, e que quando ela me mostrar que não sou nada em mim mesmo, ela me mostre que tu és todas as coisas para mim.

Em minha condição atual, ó Senhor, aquele que tu me enviaste para me ajudar teve de apelar para outros a fim de obter ajuda. Eu vejo em quão poucas horas posso estar além da ajuda humana. Permite-me que, mediante essa mesma luz, eu veja que nenhum furor de enfermidade, nenhuma tentação de Satanás, nenhuma culpa de pecado, nenhuma prisão corporal — nem este leito de enfermo, nem a outra prisão, a fechada e sombria sepultura — possa tirar-me o bom propósito que tu designaste para mim.

Abre-me os olhos para o sentido desta doença. Quando o tiver lido na linguagem da correção, permite-me traduzi-lo para outra linguagem e lê-lo como um gesto de misericórdia. Tua misericórdia ou tua correção: qual dessas é a mensagem original e primária, e qual a tradução, eu não sei concluir, embora a morte possa concluir-me. Pois embora essa doença se pareça com uma correção, não posso ter nenhuma outra prova maior de tua misericórdia do que morrer em ti, e com essa morte unir-me àquele que morreu por mim.

DIA 10

Estágio oito: O médico do rei

Na esfera da humanidade, os reis ocupam o terreno mais alto, as montanhas mais eminentes. No entanto, que miséria pode rivalizar com a doença, e os reis são tão vulneráveis a ela quanto seu mais humilde súdito. Os médicos pairam sobre eles, e eles vivem em constante medo de caírem enfermos.

São deuses, esses reis? Se forem, são deuses doentes. Que tipo de deus precisa de um médico? O verdadeiro Deus é às vezes chamado de zangado, pesaroso, exaustivo e opressivo, mas nunca de doente, pois neste caso Deus poderia morrer, como morrem nossos deuses. Nós às vezes desprezamos os deuses dos pagãos dizendo que talvez eles estivessem dormindo — mas deuses demasiado doentes para dormir afundam ainda mais.

Aqueles que estimamos expressam melhor sua semelhança com Deus em sua humildade do que em sua grandeza. Quando, como Deus, extravasam bondade e compartilham sua abundância com os necessitados, então eles são deuses. Pessoas sadias apreciam a grande dádiva do bem-estar, e o recebem com felicidade e se alegram com outras pessoas. Portanto, aperfeiçoa a felicidade de reis o fato de conferir honrarias e riquezas — e, na medida do seu possível, saúde — àqueles que precisam delas.

O bondoso rei me enviou seu próprio médico.

Reflexão

Eu me lembro de uma advertência de um sábio, segundo a qual "quando o rico fala todos param de falar, e depois elogiam o discurso o máximo possível. O pobre fala e as pessoas perguntam: 'Quem é esse aí?', e se ele tropeçar, elas o espezinham ainda mais." Portanto, eu hesito em falar de reis.

O rei Davi incorporou-se nas pessoas de seu povo, chamando-as de seus parentes, seus ossos, sua carne. Quando a peste caiu sobre elas, ele clamou: *Fui eu que pequei e fiz o que era mau! O povo é inocente. O que fizeram? Que tua ira caia sobre mim e minha família* (2Sm 24.17). Reconheço que tu, ó Deus, que deste ao sábio Augusto um império, também o deste ao malvado Nero. Embora alguns reis deformem tua imagem com suas ações, eles ainda refletem algo de tua imagem em seu reinado.

Se eu não celebrasse condignamente as tuas mercês que me foram concedidas por meu próprio soberano, acrescentaria a falha da ingratidão a minhas inúmeras outras falhas. Oro pela felicidade e prosperidade de meu rei. Mas assim que o faço, paro e penso de que modo isso seria visto por outras pessoas. Será que estou simplesmente me vangloriando, gabando-me de receber dele algum tratamento preferencial? Que essa falsa humildade não me detenha, ó Deus, mas permite-me avançar, exaltando tua misericórdia transmitida por intermédio dele. No fim das contas, o que ele fez pela minha saúde física, ele fez por muitas outras pessoas. Quando ele não pode me curar com as próprias mãos, ele me envia o presente de seu médico.

A preocupação de meu rei com minha saúde tu sabes, ó Deus, é apenas o crepúsculo do dia. Antes de qualquer outra pessoa, ele viu em mim dotes que poderiam ter alguma utilidade em tua igreja, e sugeriu-me, persuadiu-me e quase ordenou-me abraçar essa vocação. Tu, que puseste esse desejo no coração dele, também puseste no meu um espírito de obediência ao seu chamado. Numa época em que fiquei doente com uma vertiginosa indecisão, foi esse homem de Deus que me amparou.

Quando pedi uma pedra, ele me deu pão; quando pedi um escorpião, ele me deu peixe — quando pedi um cargo secular, ele não se opôs, mas em vez daquilo, ele me convenceu a abraçar o ministério clerical. Essas coisas, ó Deus, tu que nada esqueces não esqueceste, embora ele talvez tenha esquecido. Ele não somente enviou-me um médico para cuidar de minha saúde física, como também foi o médico que cuidou de minha saúde espiritual.

Oração

Ó Deus eterno e todo-bondoso, tu reservaste teu tesouro de perfeita alegria e perfeita glória para concedê-lo com as próprias mãos. Nessa ocasião nós te veremos como és e te conheceremos como somos conhecidos, passando a possuir num instante e para sempre tudo aquilo que pode contribuir para nossa felicidade. Enquanto isso, aqui neste mundo, tu nos concedes um adiantamento, um sinal do tesouro que nos aguarda.

Do mesmo modo como aqui te vemos num espelho embaçado, assim também aqui recebemos dádivas de graças em coisas comuns. A natureza estende sua mão e nos dá trigo, vinho, óleo e leite. Mas tu encheste antes a mão dela, e depois a abriste para que ela pudesse derramar suas dádivas sobre nós.

A diligência estende sua mão e nos concede o fruto de nosso trabalho. Mas tua mão guia aquela mão quando ela semeia e quando irriga a terra, mas teu é o incremento. Amigos estendem suas mãos e nos fortalecem, mas tua mão sustenta a mão que nos sustenta.

De todos esses instrumentos recebi a tua bênção, ó Deus. Bendigo teu nome sobretudo pela maior dádiva que me concedeste: por meio de tua poderosa mão direita, participei não apenas na audição, mas também na pregação do teu evangelho. Humildemente rogo que, como tu derramas tua bondade sobre o mundo por meio destes instrumentos — o mesmo sol, a mesma lua, a mesma natureza e a mesma diligência —, continues assim abençoando esta nação e esta igreja.

Quando teu Filho vier através das nuvens, que ele encontre o rei, ou seu filho, ou os filhos de seu filho, preparados para prestar contas e defender no julgamento sua fiel administração e uso dos talentos tão generosamente confiados a eles. Sê para ele, ó Deus, em todas as doenças de seu corpo, em todas as ansiedades de seu espírito, em todas as santas tristezas de sua alma, um médico à altura de tua proporção, tu que és o maior no céu, como ele tem sido para mim, à altura de sua proporção, ele que é o maior sobre a terra.

DIA 11
Estágio nove: Diagnóstico

Preso nestes grilhões, apresentei minhas provas, como se estivesse dissecando minha própria anatomia para um julgamento num tribunal. Agora os médicos vão deliberar sobre o meu destino. Os especialistas na arte da medicina a duras penas conseguem nomear todas as doenças. Algumas, como a pleurisia, eles nomeiam a partir do ponto afetado, a *pleura*. Outras, a partir do efeito que causam, como a "doença das quedas" [epilepsia]. As variedades de enfermidades são tantas, todavia, que eles precisam derivar o nome delas de outras línguas, de animais, de quem as descobriu ou de pessoas famosas que as contraíram. Mesmo assim, o número de doenças é maior que o número de nomes de pessoas.

Os especialistas examinaram minha febre, comparando-a meticulosamente com uma quase infinita variedade de febres, a fim de determinar qual é a minha, e o mal que ela me causará, e como ela pode talvez ser curada. Suponho que eu deveria ser grato por eles pelo menos terem tempo para suas deliberações.

Em muitas doenças, os efeitos colaterais são tão violentos que o médico é obrigado a tratá-los sem antes descobrir a causa, a doença em si. Vejo esse mesmo padrão no governo. Às vezes líderes insolentes estimulam protestos e desordem entre o povo. Os que ocupam o poder declaram a lei marcial e eliminam esses líderes, quando na verdade o protesto é um mero sintoma do problema real: a injustiça e a opressão. O mesmo se aplica a doenças mentais e paixões. Se um cidadão enfurecido está prestes a desferir um golpe violento, eu preciso impedir o golpe antes de tratar da causa primeira de sua fúria.

Em todos esses casos, o tempo é uma dádiva. Quando há espaço para consultar uma junta médica, o caso não é tão desesperador. Meus médicos conversam entrando em detalhes e chegam a um consenso sobre um tratamento, de modo que nada é feito às pressas. Depois de receberem meu relato pessoal da doença, eles entram num acordo sobre o remédio apropriado. Praticamente de nada adianta eles me censurarem em relação àquilo que eu deveria ter feito antes, como mudar minha dieta e fazer exercícios físicos. Isso seria como dizer a um preso no corredor da morte: você poderia continuar vivendo se tivesse feito isso ou aquilo.

Alegra-me que meus assistentes estejam cientes do meu caso (eu nada escondi deles), que se consultem entre si (eles nada escondem uns dos outros) e que prescrevam um plano de tratamento (eles nada escondem do mundo). Acima de tudo, alegra-me que eles prescrevam remédios para o meu estado.

Reflexão

O profeta Isaías perguntou: *Quem pode orientar o Espírito do Senhor? Quem sabe o suficiente para aconselhá-lo ou instruí-lo?* (Is 40.13). Ó Deus, embora tu não necessites de nenhum conselho dos seres humanos, ainda assim nada fazes a nosso respeito sem uma consulta. Desde o início tu conferenciaste — *Façamos o ser humano à nossa imagem* (Gn 1.26) —, pois todos os teus atos externos são decididos no seio da Trindade.

Relembro a mim mesmo que todas as benditas pessoas da Trindade estão agora deliberando sobre o que tu farás com este corpo enfermo e esta alma leprosa. Com sentimento de culpa, mas confiante, aguardo tua decisão. Não tenho pretensões de aconselhar aqueles especialistas que estão discutindo sobre meu corpo, embora eu descreva para eles cada um de meus sintomas, dissecando meu corpo. O mesmo faço para ti com minha alma, ó Deus, em humilde confissão. Não há veia nenhuma em meu corpo que não esteja repleta do sangue de teu Filho, que crucifiquei muitas e muitas vezes, com a multiplicação de meus pecados. Não há em mim nenhuma artéria que não contenha o espírito do erro, o espírito da luxúria, o espírito da loucura; nenhum osso que não tenha sido nutrido com a medula do pecado; nenhum nervo ou ligamento que não prenda pecado a pecado. No entanto, ó bendita Trindade, se estás ouvindo esta confissão, então meu caso não é desesperador, minha destruição não está decretada.

Claramente tu, meu Deus, planejas minha cura definitiva. Encontro conforto e esperança no teu primeiro livro, o livro da vida, sempre aberto diante de ti; no teu segundo livro, o livro da natureza, onde tu colocaste a tua própria imagem; e no terceiro livro, a Escritura. A esses tu acrescentaste o livro da doutrina da igreja, o livro da nossa própria consciência, e finalmente o pergaminho com sete selos que somente o Cordeiro que foi sacrificado é *digno de receber, abrir os selos e lê-lo* (Ap 5.9).

Se me mandares fazer uma nova leitura desses livros, submetendo-me com isso a um novo julgamento, esta febre poderá mostrar-se tão passageira como uma queimadura na mão. Posso ser salvo: não por minha própria consciência ou pelos outros livros, mas por teu primeiro livro, o livro da vida que registra minha eleição, e pelo último livro, o livro do Cordeiro que derramou seu sangue por mim. Se a minha saúde física ainda estiver sob avaliação, eu ainda não estarei condenado. E de acordo com esses livros, não vou sofrer condenação alguma. Embora até quem tardiamente se arrepender venha a agarrar-se a tuas promessas em meio ao desespero, quem te procura cedo receberá teu orvalho matinal, tua misericórdia oportuna, teu tranquilizante consolo.

Oração

Ó Deus eterno e todo-bondoso, tu tens olhos tão puros que não consegues olhar para o pecado, e nós temos naturezas tão impuras que pouco temos a apresentar além do pecado. Poderíamos temer que desviasses de nós teu olhar para sempre. Mas, embora não possamos suportar aflições em nós mesmos, no entanto em ti podemos; de modo semelhante, embora não possas suportar o pecado em nós, no entanto em teu Filho tu podes. Ele tomou sobre si, e apresentou a ti, os próprios pecados presentes em nós que poderiam te desagradar.

Olha para mim, ó Senhor, com teus olhos de compaixão que curam com seu próprio olhar. Em meu infortúnio, chama-me de volta da beira desta morte física. Ressuscita-me da morte espiritual, pois me desgarrei chegando até às mandíbulas do inferno, multiplicando montanhas de pecado sobre as fundações do pecado original. Inclui-me de novo em tuas consultas, ó gloriosa e bendita Trindade.

O Pai sabe que eu deformei a imagem divina recebida ao nascer. O Filho sabe que negligenciei meu interesse pela redenção. Ó bendito Espírito, como tu és para a minha consciência, sê também para as outras pessoas da Trindade: um testemunho de que neste minuto eu desejo aquilo a que, em rebeldia, tantas vezes me opus, as tuas sugestões. Sê minha testemunha de que, por mais poros do que este corpo flácido transpira lágrimas, esta pobre alma chora sangue. Sofro mais por desagradar a meu Deus do que pelos açoites do desagrado de Deus.

Leva-me então, ó bendita Trindade, para uma nova consulta e prescreve-me o remédio. Se o meu corpo tiver de sofrer uma longa e penosa convivência com a minha alma em sua doença, isso é remédio se eu puder discernir a tua mão por trás disso. E se eu tiver de enfrentar uma rápida partida desta alma, isso também é remédio, se eu puder confiar que a tua mão vai me receber.

DIA 12

Estágio dez: Sintomas furtivos

Este é o "ninho de caixas" da natureza: os céus contêm a terra; a terra, as cidades; as cidades, as pessoas. Todas estão fadadas a deterioração e ruína, e em cada uma delas, as ameaças mais perigosas são as mais difíceis de descobrir. Quando os israelitas vagavam no deserto, Deus conhecia seus inúmeros pecados, mas acusou-os de um só: a revolta interior de resmungar. Os pecados secretos são os mais mortais e perniciosos.

Em estados e reinos, o ruído de vinte tambores rebeldes representa menos perigo do que alguns sussurros e conspiradores dissimulados. O canhão não ameaça tanto um muro quanto uma mina embaixo dele; tampouco mil impetuosos inimigos comparados a uns poucos conspiradores que fazem um solene juramento de silêncio.

O mesmo acontece com as doenças do corpo. No meu caso, a urina, o suor, a pulsação, todos juraram não dizer nada, e assim disfarçar a doença interior. Minha força não está enfraquecida, e eu recuperei o apetite. A mente permanece clara, sem nuvens de ansiedade. E, no entanto, meus médicos enxergam de modo invisível, e eu sinto de modo insensível, que a doença está preponderando.

Minha doença estabeleceu um império dentro de mim e avançará graças a certos arcanos segredos de estado, que ela não está propensa a declarar. Contra segredos de estado, os juízes têm o poder de apresentar intimações; e contra doenças misteriosas, os médicos têm seus pesquisadores de ponta. Desses eles estão agora se servindo.

Reflexão

Santo Agostinho desejou que Adão não tivesse pecado. Nesse caso, Cristo não precisava morrer. Eu às vezes desejaria que, se de fato alguma vez a serpente andou ereta e falou com Eva, ela então ainda o fizesse; nesse caso eu poderia detectar sua presença! Em lugar disso, ela rasteja, e consequentemente a morte espiritual entra sub-reptícia por nossas janelas — em nossos olhos e ouvidos, as entradas da alma.

Às vezes pecamos em segredo, de modo que outros não fiquem sabendo. Para manter esses pecados escondidos, Satanás nos tenta para aquilo que foi desde o início sua progênie: uma mentira. O pecado em si é da serpente, e a mentira é sua roupagem encobridora. A verdadeira obra-prima, todavia, consiste em nos induzir ao pecado tão sutilmente que nós talvez nem saibamos que estamos pecando. Nossa consciência seca, não sentimos a picada da serpente ou seu veneno. Davi orou: *Quem é capaz de distinguir os próprios erros? Absolve-me das faltas que me são ocultas* (Sl 19.12).

Outros pecados nós concebemos no escuro, em nossa cama, mas os cometemos na luz. De fato, muitos pecados nem sequer cometeríamos se ninguém soubesse deles. Agostinho confessou que se envergonhava de sua consciência escrupulosa, e cometia pecados só para impressionar seus companheiros.

No fim, nós nunca conseguimos esconder pecados, pois tu, ó Deus, os conheces. A voz do sangue de Abel te informou do assassinato de Caim. Tu não precisas de nenhum informante, pois nos julgarás *por todos os nossos atos, incluindo o que fazemos em segredo* (Ec 12.14); *pois virá o dia em que tudo que está encoberto será revelado, e tudo que é secreto será divulgado* (Mt 10.26).

Todavia, reconheço que há jeito melhor para conheceres os meus pecados, um jeito que tu preferes: ouvi-los pela minha confissão. Como o remédio atua atraindo para si o invasor estranho, assim o teu Espírito me traz à memória os meus pecados passados para que eu possa confessá-los. *Enquanto me recusei a confessar meu pecado*, diz Davi, *dia e noite, tua mão pesava sobre mim*; mas quando eu disse: "*Confessarei ao Senhor a minha rebeldia*", *tu perdoaste toda a minha culpa* (Sl 32.3-5).

Tão completamente tu nos purificas que nos armas contra recaídas nos pecados que confessamos. Agostinho diz: "Tu me perdoaste os pecados que cometi, e aqueles pecados que somente por tua graça eu não cometi". Estes são verdadeiramente os pecados mais secretos, porque nunca foram cometidos. A própria tendência a pecar precisa da tua misericórdia e recebe o teu perdão. Nenhuma outra pessoa, nem eu mesmo, mas apenas tu sabes quantos e quão graves são os pecados de que escapei por tua graça.

Oração

Ó Deus eterno e todo-bondoso, de que forma vou te apresentar aqueles pecados que me são desconhecidos? Se eu me acusar do pecado original, tu vais me perguntar se eu sei o que é o pecado original? Não conheço o suficiente essa doutrina para convencer outras pessoas, mas sei o suficiente para me condenar.

Se confessar a ti os pecados da minha juventude, tu vais me perguntar se eu sei que pecados foram esses? Não me lembro deles com clareza suficiente para nomeá-los; tampouco é provável que eu viva tempo suficiente para fazê-lo (pois naquela época os pratiquei mais rápido do que agora consigo relatá-los). Mas eu os conheço bem o suficiente para saber que nada a não ser a tua misericórdia é tão infinita quanto eles.

Pecados de pensamentos, palavras e obras; pecados de omissão e ação; pecados contra ti, contra o próximo e contra mim mesmo; pecados de que não me arrependi e pecados em que recaí depois do arrependimento; pecados de ignorância e pecados contra o aviso da minha consciência; pecados contra os teus mandamentos; pecados contra as leis da igreja e do estado — tantos pecados que talvez eu não consiga nomear.

Perdoa-me, ó Senhor, todos os pecados pelos quais teu Filho Cristo Jesus sofreu — pois ele tomou sobre si todos os pecados do mundo. Não há entre eles um único pecado que não seria meu, se tu não tivesses sido o meu Deus, concedendo-me perdão antecipado por intermédio de tua graça preventiva.

DIA 13
Estágio onze: O coração

Sempre em movimento, bombeando vida para todas as outras partes, o coração é a sede da vitalidade do corpo. Contudo, se um inimigo ousar insurgir-se contra ele, nenhuma outra parte capitula mais depressa que ele. O cérebro consegue resistir a um ataque, o fígado ainda melhor, mas um coração estressado demais vai sucumbir num minuto.

Embora o coração não tenha força, nós o respeitamos como o mais velho, o primeiro órgão a formar-se no desenvolvimento de uma criança. De seu trono, o coração reina sobre seus súditos, soberano apesar de sua fraqueza, pois dele o corpo inteiro depende diretamente. Quando trata uma doença, um médico prudente pode ignorar algum outro membro do corpo que está incomodando e preferir devotar sua atenção principal ao coração, sem o qual todas as partes vão perecer.

Como rei do corpo, o coração atrai a peçonha e o veneno de todas as doenças pestilentas, exatamente como o rei de uma nação atrai a maldade de homens maus. E como os melhores remédios perdem seu efeito quando usados em excesso num organismo, assim também os melhores atributos de liderança acabam cedendo a ataques pessoais de um inimigo.

Como é pequeno e vulnerável o coração, a fonte de vida do corpo e, no entanto, suscetível a feridas e infecções provenientes de fora ou de dentro.

Reflexão

Meu Deus, tu só me pedes o meu coração: *Meu filho, dê-me seu coração* (Pv 23.26). Isso é tudo o que é preciso para ser adotado como teu filho? Tu certa vez desafiaste Satanás: *Você reparou em meu servo Jó? Não há ninguém na terra como ele. É homem íntegro e correto, teme a Deus e se mantém afastado do mal* (Jó 1.8). Deveria eu lançar um desafio oposto: Tu reparaste em meu coração, mais pervertido que qualquer outro sobre a face da terra? Aceitarias esse coração, e será que vou tornar-me teu filho, um co-herdeiro com teu Filho eterno, simplesmente mediante a doação dele a ti?

O coração humano é mais enganoso que qualquer coisa e é extremamente perverso; quem sabe, de fato, o quanto é mau? Quem faz essa pergunta recebe a resposta: *Eu, o Senhor, examino o coração* (Jr 17.9-10). Quando examinaste o meu coração, Senhor? Tu imaginaste encontrá-lo tão puro como aquele que implantaste no primeiro humano, Adão? Tu observaste os seres humanos desde o início e descobriste que *todos os seus pensamentos e seus propósitos eram sempre inteiramente maus* (Gn 6.5).

Ainda queres o meu coração? Ó Deus de toda luz, eu sei que tu conheces todas as coisas, e és aquele que revela o que está em nosso coração. Sem ti, eu não poderia saber quão enfermo está meu coração.

Examino a tua Palavra e ali descubro que, apesar da inundação de maldades que invadem todos os corações, tu encontraste um homem, Davi, segundo o teu coração. Por intermédio do profeta Jeremias tu prometeste: *Eu lhes darei líderes segundo meu coração, que os guiarão com conhecimento e entendimento* (3.15). E, ao estudar o livro, descubro corações dispostos, corações eruditos, corações sábios, corações justos e corações puros. Se o meu coração fosse como esses, eu o daria a ti.

Por outro lado, no mesmo livro também encontro corações empedernidos, endurecidos como o meu. Encontro corações que são ciladas, como o meu foi às vezes, e corações que ardem como fornos com o combustível de luxúria e inveja e ambição, sentimentos que também arderam no meu coração. *Quem confia no próprio entendimento é tolo* (Pv 28.26). Corações como esses, inclusive o meu, não são dignos de ser oferecidos a ti. Que é que vou fazer?

Àqueles do primeiro tipo, os corações bons, tu concedes um coração alegre, que eu não tenho a pretensão de ter. Àqueles do segundo tipo tu concedes um coração temeroso, que felizmente eu ainda não tenho. Deve existir um tipo médio de coração, não perfeito mas que possa ser corrigido no próprio ato de entregar-se, e não manchado a ponto de ser rejeitado. Um coração que se derrete, um coração atribulado, um coração ferido, um coração partido, um coração contrito — desses tipos eu tenho, graças à poderosa ação do teu Espírito.

Samuel disse a Israel: *Se, de fato, vocês desejam de todo o coração voltar ao Senhor, voltem o coração para o Senhor e obedeçam somente a ele* (1Sm 7.3). Se eu preparar meu coração, confio que tu o leves para casa. Não, devo admitir que também a preparação é obra tua. Esse derretimento, essa ruptura, essa contrição — esses desconfortos em minha alma são sinais do Espírito atuando em meu coração, e Deus completará a obra que ele começou.

Esta doença me apresenta uma pílula amarga, ó Senhor, que me tornou reticente perto de ti. Hoje, todavia, tu me deste outra manhã, e meu coração continua batendo. Meu coração ficou suspenso quando elenquei meus pecados, mas essa dor não é terminal, porque aqueles pecados não são terminais. Pelo contrário, meu coração vive em ti. Enquanto eu permanecer neste grande hospital, este enfermo e poluído mundo, enquanto eu permanecer neste corpo leproso, o coração que tu preparaste estará sujeito à invasão maligna. Mas eu tenho meu remédio em tua promessa de que, quando eu conhecer a peste de meu coração e recorrer a ti, tu preservarás esse coração do poder mortal de sua infecção, e *a paz de Deus, que excede todo entendimento, guardará meu coração e mente em Cristo Jesus* (Fp 4.7).

Oração

Ó Deus eterno e todo-bondoso, enquanto tua presença preenche igualmente todos os espaços no céu, aqui na terra a tua presença pode parecer, em alguns lugares, mais evidente do que em outros — mais na igreja do que no meu quarto, mais nos sacramentos do que nas minhas orações. Se o mesmo se aplica às partes do meu corpo, humildemente te peço que manifestes a tua presença mais no meu coração do que em qualquer outra parte.

Na casa do teu rei ungido, traidores vão entrar; na casa do meu corpo, vão entrar tentações e infecções. Transforma meu coração em tua morada, ó meu Deus, e impede qualquer acesso desses intrusos.

Teu próprio Filho provou uma tristeza em sua alma, uma angústia de morte, mas ele dispunha também de um remédio: *que seja feita a tua vontade, e não a minha* (Lc 22.42). Tu tens o poder de transformar esta minha doença em minha eterna saúde, esta fraqueza em meu eterno vigor, o próprio desânimo do coração num poderoso bálsamo. Quando teu bendito Filho clamou: *Meu Deus, Meu Deus por que me abandonaste?* (Mt 27.46), tu lhe estendeste a mão — não para libertar sua alma triste, mas para receber sua alma santa.

Sinto tua mão sobre mim agora, ó Senhor, e não pergunto por que ela chega e o que ela pretende. Posso permanecer neste corpo por algum tempo, posso me encontrar hoje contigo no paraíso, deixo tudo em tuas mãos. Meu plano de tratamento é a silenciosa e absoluta obediência a tua vontade, mesmo antes de conhecê-la. E quando tu me houveres catequizado aqui pela aflição, que eu possa servir-te num lugar mais alto, em teu eterno reino de alegria e glória. Amém.

DIA 14

Estágio doze: A respiração

Se o próprio ar que respiramos é capaz de nos matar, como podemos jamais estar seguros? Ser morto por tempestades de granizo ou por um tiro é uma coisa — mas por inalar o ar provindo de outra pessoa? Sei que estou flertando com uma heresia ao questionar os desígnios de Deus na natureza. Mas o ar não deveria nos nutrir, em vez de nos destruir?

Se eu sofresse os efeitos maléficos por inalar os vapores de um poço havia muito tempo fechado, ou de uma mina recém-aberta, não teria nada de que me queixar a não ser de meu azar. Mas quando nós mesmos somos o poço que exala o veneno, o forno que cospe o vapor, a mina que vomita as gotículas da morte, então qualquer um — um vizinho, um amigo, um parente, eu mesmo — pode ser um potencial assassino.

Ah, precisamos ter algo para culpar! Se eu tivesse alguma participação consciente em minha autodestruição, então eu me censuraria. Beber ou comer em excesso, a intemperança, a promiscuidade — qualquer uma dessas coisas me implica na trama assassina. Mas o que foi que eu fiz? Dizem-me que minha melancolia pode ser um fator; convidei eu a melancolia para dentro de mim? Sim, penso demais; mas não fui criado para pensar? Estudo em excesso; mas minha vocação não pede isso? Nada fiz de propósito ou com perversidade; e, no entanto, devo sofrer por isso, morrer disso?

Conheço muitos exemplos de pessoas que foram seus próprios carrascos. Algumas mantiveram veneno ao alcance da mão, num anel oco no dedo, ou numa caneta. Algumas explodiram os miolos contra a parede de sua prisão, e conta-se que um sujeito se estrangulou, apesar de ter as mãos amarradas, apertando a garganta com os joelhos. Eu, que não fiz nada para me prejudicar, sou de certo modo meu próprio carrasco.

Ouvi falar de mortes acidentais causadas pelas menores coisas, como, por exemplo, uma picada de um alfinete que causa uma infecção e uma gangrena. Mas morrer por respirar o ar comum! Que ar viciado eu possa encontrar na rua, ou num abatedouro, ou num monte de lixo ou no esgoto, é capaz de prejudicar tanto quanto o que de algum modo inalei em minha própria casa?

Reflexão

Meu Deus, teu servo Tiago nos pergunta: *Como sabem o que será de sua vida amanhã?*, e oferece a resposta: *A vida é como a névoa ao amanhecer: aparece por um pouco e logo se dissipa* (4.14). Se ele me perguntasse: "Como sabe o que será de sua morte?", eu lhe daria a mesma resposta: É como a névoa também. Por que deveria eu me preocupar se vou viver ou morrer, se a vida e a morte são a mesma coisa, ambas uma névoa?

Tu criaste a névoa como uma substância tão neutra que pode representar tanto tuas bênçãos quanto teus julgamentos. No Éden uma névoa *brotava do solo e regava toda a terra* (Gn 2.6). Mais tarde, os sacerdotes te ofereciam sacrifícios que subiam aos ares como uma nuvem de incenso. Pelo contrário, que é o pecado senão um vapor, uma fumaça que nos tolda a visão e não nos deixa ver o perigo? No fim do tempo, um profeta anuncia: *Quando o poço foi aberto, dele saiu fumaça como de uma imensa fornalha* (Ap 9.2). Acaso tu não nos forneceste nenhuma forma de dissipar essa fumaça, de dissipar esses vapores? Tu fizeste exatamente isso, descendo do céu para assumir nossa natureza, em teu Filho. E embora nosso último ato venha a ser uma ascensão para a glória, nossa primeira ação é seguir o caminho de teu Filho mediante uma descida. No batismo de teu Filho, o Espírito desceu, e em Pentecostes o mesmo Espírito desceu. Vamos separar e filtrar os vapores de nosso orgulho, nosso juízo, nossa vontade, nossa astúcia mediante a purificação proporcionada por teus sacramentos e a obediência a tua Palavra.

Oração

Ó Deus eterno e todo-bondoso, embora permitas a nossa autodestruição, tu forneceste os meios de nos emendar e sarar. Sujeita, eu te rogo, qualquer sopro de desobediência a ti para que, com o poder e triunfo de teu Filho, eu caminhe vitorioso sobre a minha sepultura.

Tu me puseste no fundo do vale da enfermidade, tão fundo que repercuto a pergunta feita pelo profeta no vale de ossos: *Acaso estes ossos podem voltar a viver?* (Ez 37.3). Assim eu te peço que, no tempo propício, me leves para o alto da montanha onde habitas, a colina sagrada, um lugar ao qual ninguém tem acesso, salvo quem tem *as mãos puras e o coração limpo* (Sl 24.4) — e isso ninguém consegue a não ser mediante aquele poderoso método de torná-los limpos, no sangue de teu Filho, Cristo Jesus. Amém.

DIA 15

Estágio treze: Uma erupção da pele

Dizemos que o mundo é composto de mar e terra, como se fossem duas coisas iguais, mas sabemos que há mais mar no hemisfério ocidental do que no oriental. Dizemos que o céu está repleto de estrelas, mas sabemos que mais estrelas são visíveis no polo norte do que no polo sul. Dizemos que a vida consiste em miséria e felicidade, como se ambas fossem igualmente distribuídas, com o mesmo número de dias bons e dias ruins. A verdade está longe desse equilíbrio perfeito.

A miséria nós bebemos, mas a felicidade só degustamos; a miséria nós colhemos, a felicidade apenas respigamos; na miséria nós excursionamos, ao passo que na felicidade mal conseguimos caminhar. A miséria é inegável, verificável; a felicidade é evasiva, difícil de definir. Todo mundo sente a miséria como miséria, ao passo que a felicidade significa coisas diferentes para diferentes pessoas.

Com suas manchas minha doença agora declara ser uma enfermidade muito grave, como a peste. Meus sintomas deveriam agora facilitar o diagnóstico, embora qualquer conforto que possa descobrir nesse fato seja ofuscado pelo medo de que minha doença haja ultrapassado a possibilidade de tratamento. Talvez os médicos já tenham feito tudo o que podiam. Em nada me consola identificar um inimigo, e ao mesmo tempo descobrir que esse inimigo tem uma força esmagadora que lhe garante a vitória.

Em tempos de guerra, confissões voluntárias são mais confiáveis do que confissões arrancadas mediante tortura. Quando a própria natureza anuncia aos gritos os sintomas em meu corpo, eu presto atenção. Mas e se meu corpo causou esta erupção cutânea talvez como uma reação alérgica a remédios tentados antes? Eu não poderia confiar nesses sintomas, não mais do que um interrogador poderia confiar na confissão de um traidor.

Pouco nos consola o fato de conhecermos o pior quando o pior é incurável. Uma mulher acolhe com alegria o nascimento de sua criança, seu corpo já aliviado de um fardo. Todavia, se ela pudesse enxergar o futuro daquela criança — que irresponsável, que ingrata em relação à mãe a criança poderia se mostrar — sua mente sentiria o peso de um fardo ainda maior.

Boa parte da vida mistura sofrimento e alegria, e boa parte da felicidade resulta ser espúria. Até mesmo aquilo que consideramos como virtudes está ligado à miséria. Eu preciso ser pobre e necessitado antes de poder praticar a virtude da gratidão; testado até meus limites antes de poder praticar a virtude da paciência.

Como cavamos fundo, e buscando ouro tão impuro! E que outra medida de felicidade temos nós que não seja uma comparação: como pode a minha felicidade comparar-se àquela de outras pessoas, ou à minha própria felicidade em outras épocas? Tenho pouca esperança de recuperar a saúde quando estas manchas só me dizem que estou pior do que antes.

Reflexão

Meu Deus, tu transformaste este meu leito de enfermo em teu altar, e não tenho outro sacrifício a te oferecer exceto eu mesmo. Tu aceitarás um sacrifício todo manchado? Será que teu Filho, impoluto, habitará em mim de tal modo que tu não vejas mancha alguma? Como pode teu Filho não ter manchas quando ele tomou sobre si mesmo todas as manchas e defeitos? E a igreja, tua noiva — cada parte daquele belo corpo está desfigurado com nódoas e manchas.

Senhor, se tu buscas a pureza, onde a encontrarás? Muito longe pode ir a tua misericórdia e, no entanto, não me deixar sem manchas; muito longe podem ir as tuas correções e queimar profundamente e, no entanto, não me deixar imaculado. A chuva que mandas cair sobre nós nem sempre amolece nosso solo endurecido; acendes fogueiras dentro de nós, mas elas não queimam todo o nosso entulho; saras nossas feridas e, no entanto, elas deixam cicatrizes.

As manchas que tu detestas são as que nós escondemos. Independentemente de como minhas falhas se revelam — pelo curso natural, pela confissão voluntária ou pela tua correção — não importa como, tu recebes essa revelação com tua graça. *As pessoas saudáveis não precisam de médico, mas sim os doentes* (Mt 9.12). Mas se não somos forçados a enfrentar os sintomas de nossa doença e confessar nossas manchas, tu não forneces nenhum remédio.

Meus pecados, meus defeitos são parte daquilo que teu Filho desceu à terra a fim de juntar e assumir para si mesmo. Quando apresento minhas manchas, apresento a ele o que já é dele, e enquanto não fizer isso, retenho aquilo que ele veio assumir. Que eu possa ver estas manchas em meu peito, e em minha alma, não como beliscões da morte, mas antes como constelações do céu, a fim de dirigir minha contemplação para aquele lugar onde teu Filho está, à tua mão direita.

Oração

Ó Deus eterno e todo-bondoso, aceita meus humildes agradecimentos por esta mercê específica, por mais dura que ela pareça. Até mesmo em tuas correções, eu encontro consolo.

Eu conheço, meu Senhor, a ansiedade que acompanha a frase "a casa foi visitada", quando um médico encontra uma moradia cujos ocupantes carregam as marcas da peste. Talvez tu deixes tua própria marca sobre um paciente, mas que triste eremitério é a casa *não* visitada por ti, e que desterrados são aqueles que não trazem sobre si nenhuma de tuas marcas. As febres, ó Senhor, que impuseste a este corpo visam apenas o derretimento da cera que me selará para ti. Estas manchas são apenas as letras com as quais tu escreveste teu nome e te entregaste a mim.

Se me levares agora, ou numa permuta posterior glorificando-te a ti mesmo com a minha permanência aqui, eu não me importo. Tão somente sê presente para mim, ó meu Deus, e este meu quarto e tua moradia serão ambos um único ambiente, e meu ato de fechar os olhos de meu corpo aqui, e o de abrir os olhos de minha alma lá, serão ambos um único ato.

DIA 16

Estágio catorze: Dias críticos

Não pretendo retratar a condição humana nada pior ou mais miserável do que ela é — como se isso fosse de algum modo possível. Pense nisso. Como seres materiais, estamos inseridos no tempo. Nossos dias mais felizes logo são engolidos por nossos dias mais tristes. O tempo flui como um rio veloz, engolindo tudo em seu curso, e ninguém pode detê-lo ou controlá-lo. Dizemos que o tempo se divide em três partes: passado, presente e futuro. Mas o passado já desapareceu, o futuro ainda não existe, e o presente é tão fugaz que assim que dizemos a palavra ela já se juntou ao passado. Nesse fútil intervalo de quase-nada experimentamos uns poucos isolados momentos de felicidade.

E se considerarmos o tempo em relação à eternidade, nossa história na terra parecerá um minúsculo parêntese num volume que não tem fim. Dessa perspectiva, a mais durável criatura terrestre não vive mais que um minuto, e a vida humana é um mero segundo comparado com a vida de uma árvore ou do sol. Quanto dessa nesga de eternidade oferece uma oportunidade de satisfação ou prazer?

As coisas que as pessoas lutam para conseguir — honras, prêmios, posses — perdem seu brilho com o passar do tempo. As celebridades de hoje serão esquecidas na geração seguinte. À medida que vai aumentando a idade, os maiores conquistadores perderão a capacidade até mesmo de se lembrarem de suas conquistas e deixarão para trás todas as suas propriedades. A juventude é o tempo da ambição, quando honras e prazeres significam alguma coisa. Para os idosos, eles chegam tarde demais, como o remédio que chega depois que o sino da igreja já anunciou a morte, ou o indulto depois que a decapitação aconteceu.

Nós nos alegramos com o calor de uma fogueira no inverno, mas alguém se aconchega junto a uma fogueira no meio do verão? Ou são os prazeres da primavera apropriados no outono? Se a felicidade depende da estação, ou do clima, muito mais felizes são os passarinhos, que podem voar em busca do mesmo clima o ano inteiro. Presos no tempo, nós humanos não desfrutamos desse luxo.

Reflexão

Meu Deus, meu Deus, tu te chamarias o *Ancião de Dias*, se nós não tivéssemos um dia de responder por nossos dias (Dn 7.22)? Tu nos censurarias na parábola perguntando: *Por que vocês não trabalharam hoje*, se nós soubéssemos que teríamos tempo suficiente para fazer nossa colheita (Mt 20.6)? Quando nos instruíste dizendo *que não nos preocupemos com o amanhã, pois o amanhã trará suas próprias inquietações*, deveríamos entender isso literalmente (Mt 6.34)?

Os dias importam. Paulo nos diz que *agora é o "tempo certo", o dia da salvação* (2Co 6.2), e em outra passagem nos aconselha: *Vistam toda a armadura de Deus, para que possam resistir ao inimigo no tempo do mal* (Ef 6.13). O modo como passamos nossos dias dá um forte indício de nossa saúde espiritual, pois se a alma seca, o corpo que parece mais sadio não é mais que uma ilusão.

Cada um de nós tem um dia crítico de confrontação com teu Filho. Os fariseus tentaram apanhá-lo a respeito da questão de pagar impostos a César; os saduceus tentaram pegá-lo com uma pergunta a respeito da ressurreição; e um perito na lei o testou com uma pergunta acerca do maior mandamento. Jesus se saiu bem com todas as perguntas: *Ninguém conseguiu responder e, depois disso, não se atreveram a lhe fazer mais perguntas* (Mt 22.15-46).

Percebo que, em relação a ti, estou começando meu dia crítico, exatamente quando meu corpo está entrando num estado crítico. Nessa crise, um cético poderia querer abandonar-te, desvencilhar-se das amarras da religião e sair correndo movido por um espírito de liberdade. Mas, Deus, eu reivindico a santa ousadia de Jacó, que, embora tornado coxo por ti, não quis deixar-te ir embora antes de ser abençoado (Gn 32.26). Embora eu tenha sido posto por ti em cima de meu carro funerário, não te deixarei partir antes que tenhas testemunhado o fim de minha crise, que mantém minha vida na balança.

Sendo que para ti *um dia é como mil anos* (2Pe 3.8), eu peço que meu "dia" crítico seja distribuído em uma semana. No primeiro dia, eu te peço que te juntes a mim em meu lugar de enfermo, pois a tua presença conta mais que qualquer outra coisa. O segundo dia, vou devotá-lo à luz de minha consciência. Começo à noite, revisando o triste estado de culpa de minha alma, e vou aguardar o alegre nascer do teu Sol. Vou começar deprimido e acusado, e terminar esse dia purificado e absolvido pelo teu Filho.

No terceiro dia, vou me preparar para receber o teu Filho no sacramento da comunhão. Embora a eucaristia tenha sido emaranhada em muitos debates desnecessários, eu a tomo como um alimento espiritual: exatamente como o pão e o vinho são assimilados pelo meu corpo, assim o corpo e o sangue do teu Filho me são dados a mim na mesma ação. Depois de caminhar contigo por três dias, estarei pronto para as tempestades do quarto dia, o dia da minha partida. Esse dia sombrio, vou marcá-lo jejuando, preparando-me para a morte. Finalmente, esse evento me entregará ao quinto dia, o dia da minha ressurreição. E esse dia do despertar me apresentará, revestido no meu próprio corpo, com o corpo e a alma unidos, ao meu sexto dia, o dia do julgamento. Esse dia é o mais crítico de todos, pois ele me levará para o meu sétimo dia, meu eterno Sábado de descanso.

A partir de então, não vou mais precisar contar meus dias. Viverei para sempre, na presença de tua glória, tua alegria, a visão de ti mesmo.

Oração

Ó Deus eterno e todo-bondoso, tua luz ilumina não apenas o dia, mas também a noite. Embora tenhas permitido que alguma obscuridade, algumas nuvens de tristeza me escurecessem a alma, humildemente bendigo teu santo nome e te agradeço pela luz de teu Espírito, contra quem o príncipe das trevas não pode prevalecer.

Se não houvesse alguma luz, não poderia haver sombra nenhuma. Deixa que tua misericordiosa providência conduza de tal modo esta enfermidade que eu jamais caia na completa escuridão, ou ignorância, ou indiferença em relação a ti. Dissipa as trevas do meu fraco espírito, ó Deus de consolação. Debela meus surtos de autocondenação pelo poder de tua luz irresistível. Quando nuvens semelhantes se juntarem no céu, que teu Espírito as disperse, e me estabeleça num dia claro, um dia crucial, um dia em que eu possa aceitar teu julgamento. Concede-me confiança naquilo que teu Filho prometeu: *E lembrem-se disto: estou sempre com vocês, até o fim dos tempos* (Mt 28.20).

DIA 17

Estágio quinze: Insônia

O sono proporciona um duplo benefício: renova o corpo nesta vida e prepara a alma para a vida futura. No próprio ato de nos rejuvenescer, o sono prenuncia a morte. Deitamo-nos com a esperança de levantar renovados, embora ao mesmo tempo nos deitemos conscientes de que podemos nunca mais nos levantar. O sono é narcótico que nos proporciona um feliz descanso, apesar do risco de que talvez não venhamos a acordar de seu feitiço.

Deus inicialmente concebeu o sono só para nosso descanso corporal, não para prefigurar a morte. Depois da fatal escolha feita no Éden, todavia, Deus misericordiosamente suavizou nosso medo da morte dando-nos a mais domesticada e agradável forma do sono. Agora eu acordo de um pesadelo e percebo que meus intensos medos não tinham fundamento; talvez a morte será assim também, um súbito despertar numa nova e pacífica realidade. Como precisamos do sono para viver nosso curto período na terra, assim também precisamos da morte para entrar na eternidade a que não podemos sobreviver.

Aqui está meu tormento: enquanto minha enfermidade mantém a morte inimiga sempre diante de mim, a insônia me priva do sono restaurador do qual preciso para manter a morte à distância. Até os presos condenados à morte conseguem dormir à noite até a chegada do dia fatídico. Se eu estiver prestes a ingressar na eternidade, onde não há nenhuma distinção de horas, por que devo ficar olhando para o relógio, ansiando pelo sono?

Ah, quem dera o peso de meu coração também afetasse minhas pálpebras. Uma vez que já não tenho prazer em nenhum dos objetos mundanos, por que não posso fechar os olhos no sono e trancá-los fora? E por que não consigo ter um momento de sono a fim de preparar-me para um estado de contínua vigília?

Reflexão

Meu Deus, eu sei que tu disseste: *Aquele que guarda Israel não cochila nem dorme* (Sl 121.4). Mas que dizer daqueles que tu amas, aqueles que estás guardando? Tu cuidas *de teus amados enquanto dormem*, declaraste outrora (Sl 127.2); tirarás de mim a própria evidência de teu amor? *Eu lhes darei paz na terra, e vocês poderão dormir sem medo*, prometeste outrora (Lv 26.6); e eu agora sou privado dessa proteção?

Jonas dormiu durante uma horrenda tempestade e teu Filho dormiu durante outra. E não consigo dormir nem sequer em minha própria cama numa noite calma. Teus discípulos disseram do amigo deles Lázaro: *Senhor, se ele dorme é porque logo vai melhorar!* (Jo 11.12). Nesse caso, que devo fazer eu, que simplesmente não consigo dormir?

Consola-me saber que não sou o único que sofre de insônia. Alguns *perversos não dormem enquanto não praticam o mal; não descansam enquanto não fazem alguém tropeçar* (Pv 4.16). Os ricos perdem o sono preocupados com seus investimentos. Além disso, o sono tem suas ciladas. Quando Sansão caiu no sono no colo de Dalila, o incidente o levou a sua desgraça. Os guardas junto ao túmulo de teu Filho inventaram a mentira de que eles estavam dormindo quando o corpo dele foi levado por ladrões, e houve quem acreditasse neles. Considerando que Jesus censurou seus discípulos por dormirem no Getsêmani, devo eu queixar-me por não conseguir dormir? Na Bíblia, o sono é muitas vezes usado como eufemismo para a morte, e às vezes como indício de pecado. *Portanto, fiquem atentos; não durmam como os outros. Permaneçam atentos e sejam sóbrios*, advertiu teu apóstolo (1Ts 5.6). Devo, então, examinar melhor o ato de dormir antes de interpretar mal minha insônia. Tua mão sobre mim é leve, ó Senhor. Devo culpar algum dedo dessa mão por ser pesado demais?

Como pastor, sou chamado a ser um vigia, um vidente, com olhos bem abertos. Embora meu corpo se sinta enfermo e exausto, minha alma descansa pacificamente contigo. Como meus olhos conseguem enxergar além da terra, vendo no alto as estrelas, assim também meus olhos conseguem enxergar para além da circunstância presente e em vez disso fixar-se em tua paz e alegria e glória lá no alto.

Praticamente assim que o apóstolo escreveu: *Permaneçam atentos e sejam sóbrios*, ele acrescentou que *Cristo morreu por nós para que, quer estejamos despertos, quer dormindo, vivamos com ele para sempre* (1Ts 5.10). Embora minha ausência de sono possa sugerir a presença da morte, este suave sono e descanso de minha alma me compromete a casar-me contigo, com quem estarei vinculado indissoluvelmente, por meio de minha dissolução.

Oração

Ó Deus eterno e todo-bondoso, tu sabes transformar o leito de teus servos enfermos em capela de bem-estar, e os sonhos de teus servos em santuário de orações e meditações sobre ti. Não permitas que esta insônia que tu me impuseste seja uma fonte de inquietação ou desconforto, mas seja antes um sinal de que não queres que eu durma em tua presença. Seja lá o que for que esta insônia indica acerca de minha condição física, vou deixar isso nas mãos dos médicos. Dirijo-me a ti como o Médico de minha alma. Lembra-me de que sempre acordarei para ti e, no entanto, sempre descansarei em ti. Defende minha alma, eu te rogo, contra as ansiedades e distrações, especialmente aquelas que me tentariam considerar qualquer parte de minha enfermidade como um pecado.

Eu trouxe o pecado ao mundo comigo, e desde então acumulei sobre ele uma incontável multidão de pecados. Pequei pelas tuas costas (se isso é possível), abstendo-me deliberadamente de frequentar a igreja e de lá exercer minha função. Pequei diante de teu rosto, com minhas orações hipócritas, com minha ostentação e orgulho ao pregar tua Palavra. Pequei quando me senti deprimido, por queixar-me, e até quando as coisas iam bem, por negligenciar minhas falhas.

Felizmente, meu bondoso Deus, eu sei que, apesar de todos esses pecados, tu me considerarás como eu era quando tu pela primeira vez escreveste meu nome no livro da vida. Assim, independentemente de como me desgarro e vagueio no meio desta enfermidade, ó Deus, eu te peço que voltes ao minuto em que estavas satisfeito comigo e me aceites como me aceitaste então.

DIA 18

Estágio dezesseis: O sino funerário

Um autor italiano escreveu um tratado sobre sinos enquanto estava detido como prisioneiro na Turquia. Ele teria muito sobre o que escrever se fosse meu colega de prisão neste leito de enfermo, tão perto do campanário que nunca cessa de emitir seus dobres anunciando alguma morte. Quando os turcos conquistaram Constantinopla, eles fundiram sinos de igrejas transformando-os em armas. Eu ouvi tanto o som de sinos quanto o som de armamentos, e nenhum deles me afetou tanto quanto me afetam estes sinos agora. Visitei um campanário na Bélgica que contém mais de trinta sinos, e outro na França que ostenta um badalo que dizem pesar mais de trezentos quilos, mas nenhum me impressionou tanto como estes aqui junto à minha janela. Aqui, conheço quase todas as pessoas cujo funeral os sinos anunciam. Vivemos como vizinhos em casas muito próximas, e logo eu irei segui-los e encontrá-los em sua nova morada.

Ouvi dizer que às vezes membros da realeza ou dignitários corrigem seus filhos vicariamente, punindo uma criança substituta no lugar deles, como se fosse uma lição de vergonha. Quando estes sinos anunciam que agora um e já depois outro é sepultado, não posso evitar o sentimento de que eles receberam a punição que cabia a mim e pagaram a dívida que é minha.

Ouvi contar a história de um sino na Itália que tocava espontaneamente quando algum membro do mosteiro estava agonizando. Certa vez ele tocou quando ninguém se achava enfermo, mas no dia seguinte um dos monges caiu do campanário e morreu, preservando a reputação profética do sino. Se estes sinos estão simplesmente chamando a atenção para um funeral, talvez seja a minha morte que estão profetizando.

Quantas testemunhas de uma execução, se alguém perguntasse por que aquele detento foi condenado, não poderiam elencar os próprios erros como uma boa resposta? Eu poderia ser aquele homem sendo carregado para sua cova neste exato momento. Eu tenho a mesma mortalidade dos mais fracos entre nós, e nasci para contrair tantas enfermidades como eles. Embora alguns tenham me precedido na morte, e numa idade mais avançada, eu venho logo depois deles, avançando em tempo recorde com uma febre ardente.

Ontem eu poderia ter sido considerado a vítima mais provável do que qualquer pessoa que estes sinos chamam para a sepultura hoje. Deus detém em suas mãos o poder da morte, para que ninguém venha a suborná-la. Se nós conhecêssemos o lucro da morte, o alívio da morte, talvez tentássemos ajudá-la, acelerando seu processo. Exatamente como os ambiciosos observam outros fazendo suas conquistas e esperam que o sucesso algum dia lhes sorria, assim também quando estes sinos de hora em hora dobram anunciando outro funeral, eles me dão uma estranha esperança de que o fim de minha miséria logo pode chegar.

Reflexão

Meu Deus, tenho uma questão que preciso discutir: não contigo, mas com aqueles que objetam à cerimônia de sinos em funerais. Alguns são contra a tradição porque os pagãos a praticavam — bem, eles também faziam funerais. Outros se opõem porque os cristãos acreditam que os sinos podem expulsar maus espíritos. E daí? Concordo que, sem dúvida, o mau espírito se incomoda com o som, pois ele serve para reunir a congregação e unir Deus e o povo de Deus.

No Antigo Testamento, tu sancionaste primeiro a convocação da assembleia mediante o som de uma trombeta, e depois a reunião dela mediante o som de sinos usados pelos sacerdotes. Agora a ordem é inversa: na morte nós entramos na comunhão dos santos acompanhados pelo som de sinos, e algum dia nossa ressurreição corporal acontecerá ao som de trombetas. As autoridades seculares também usam trombetas, mas sinos são reservados para o sagrado.

O homem cuja morte estes sinos anunciam jazia em casa ontem, no fim de sua jornada. Sua alma seguiu adiante hoje, mas os sinos nos lembram suas ações e exemplo, que continuarão vivos em nossa memória. Acamado, eu podia ouvir a congregação cantando, e me juntava a ela. Não podia, porém, ouvir o sermão, e assim estes sinos se tornaram uma espécie de sermão para mim.

Com esta febre, ó meu Deus, será que preciso de mais algum *memento mori*, lembrete de minha mortalidade? Talvez como seres materiais nós precisemos dessas recordações, essas ajudas devocionais para nossa meditação. Mas não será a minha voz, minha própria voz ressequida e rouca, um lembrete suficiente? Preciso acaso contemplar uma caveira, quando tenho uma em meu rosto macilento? Ou preciso contemplar a morte na casa de meu vizinho, quando abrigo a morte em meu próprio peito?

Oração

Ó Deus eterno e todo-bondoso, tu consagraste nosso corpo vivo a teu próprio Espírito, fazendo de nós templos do Espírito Santo. Os templos merecem respeito, mesmo quando o sacerdote os deixou, ou quando a alma deixou o corpo. Bendigo teu nome, pois como tu cuidas de cada fio de cabelo de nossa cabeça durante a vida, confiamos a ti cada grão de cinza após a nossa morte.

Como tu cuidas de nós nesta vida e também na morte, também queres que façamos o mesmo uns com os outros. Eu ouço este irmão, que agora está sendo levado para seu enterro, falando comigo e pregando meu sermão de funeral na voz destes sinos. Ele me fala alto lá do campanário, e sussurra a meus ouvidos acamados: *Felizes os que, de agora em diante, morrem no Senhor* (Ap 14.13).

Que esta oração, ó Deus, seja meu último suspiro, minha expiração, meu morrer em ti. Se estiver na hora de minha partida, que eu morra a morte de um pecador, afogado em meus pecados, salvo no sangue do teu Filho. E se eu viver por mais tempo, que eu morra a morte do justo, morrendo para o pecado, que é a ressurreição para uma vida nova. Tu trazes a morte e dás a vida. O que vier, vem de ti; venha o que vier, permite-me vir a ti.

DIA 19
Estágio dezessete: O sino da "passagem"

Ah, ouço agora um diferente toque do sino: não é um sino funerário, mas um sino que anuncia uma grave enfermidade pouco antes que alguém ultrapasse o limiar do fim da vida. Talvez a pobre alma esteja tão enferma a ponto não de saber por quem o sino dobra. Ou — súbito pensamento — talvez os atendentes que percebem meu declínio mandaram tocar o sino para mim!

Seja como for, estou unido ao mesmo corpo, a igreja, e o que acontece com um de seus membros acontece com todos. Quando a igreja batiza uma criança, essa ação também me concerne, pois a criança é enxertada no corpo do qual sou um membro. E quando ela enterra uma pessoa, essa ação diz respeito a mim também.

Toda a humanidade tem o mesmo autor, e povoa o mesmo volume. Quando uma pessoa morre, um capítulo não é arrancado do livro, mas é antes traduzido numa língua melhor. Deus se serve de vários tradutores — a idade, a doença, a guerra, a justiça — e sua própria mão orienta todas as traduções. Essa mesma mão encadernará todas as páginas para formar uma biblioteca eterna na qual todos os livros estarão abertos para exame.

Portanto, como o sino que convoca para um serviço religioso não chama apenas o pregador, mas a congregação toda, assim também esse sino da passagem nos chama a todos nós.

E a mim especialmente, trazido que fui por esta doença para tão perto da porta.

Recentemente ocorreu uma discussão a respeito de qual das ordens religiosas deveria tocar o sino da manhã primeiro para anunciar as orações matinais, e ficou decidido que aquela que se levantasse primeiro o tocaria primeiro. Se compreendêssemos a gravidade desse sino da passagem, levantaríamos cedo para contemplar o significado dele, pois todos nós vamos morrer, não somente a pessoa que está às portas da morte. O sino toca para quem quer que julgue que ele toca, e nos proporciona uma oportunidade de nos prepararmos para o tempo em que nos reuniremos com Deus.

Quem não ergue os olhos para o sol quando ele surge, ou para um cometa quando ele risca o céu? Quem não concentra o ouvido num sino, perguntando-se o que provocou seu toque? O sino que escuto significa a passagem de um pedaço de mim mesmo deste mundo. Ninguém é uma ilha, isolada e independente. Se um pedaço de terra é levado pelo mar, a Europa é diminuída — como seria diminuído um promontório, ou o terreno de um amigo ou de minha propriedade. A morte de quem quer que seja me diminui, porque faço parte de toda a humanidade.

Portanto, nunca pergunte por quem o sino toca; ele toca por você e por mim.

Poderia parecer que estou absorvendo a miséria do próximo com esses pensamentos mórbidos — como se não me fosse suficiente a minha própria miséria. Mas, de fato, a aflição é uma espécie de tesouro, pois ela pode nos tornar mais maduros e aptos para Deus. Se eu carregar meu tesouro como uma espécie de barra de ouro, não na forma de moedas, ele não pagará minhas despesas comuns quando eu viajar. De modo semelhante, a tribulação é uma espécie de tesouro, não muito útil até o tempo em que nos aproximarmos cada vez mais de nossa casa no céu.

Um vizinho está enfermo agonizando, e essa aflição pode encontrar-se em suas entranhas como ouro numa mina, sem qualquer utilidade aparente para ele. Mas o próprio sino que me informa sobre sua enfermidade extrai esse ouro e o aplica para mim. Ponderando a dele, contemplo a minha própria situação, e assim me asseguro recorrendo ao meu Deus em busca de ajuda. Ele é a nossa única segurança.

Reflexão

Meu Deus, meu Deus, será este um de teus métodos de extrair luz das trevas, fazendo que aquele por quem esse sino dobra, agora na obscuridade, se transforme num inspetor, um bispo para todos os que ouvem a mensagem nas badaladas? Será este um de teus métodos, para extrair vigor da fraqueza, para levar quem não consegue levantar-se da cama a fazer-me uma visita, e por meio desse som me transmitir alguma informação vital?

Ó Deus, se emprestares tua voz para esse objetivo, que trovão não é um bem afinado címbalo, que som estridente não é um límpido órgão? E que órgão não é bem tocado se tua mão estiver sobre ele? Percebo tua voz, tua mão, nesse som, e nesta nota vibrante ouço o concerto inteiro.

Ouço Jacó reunindo seus filhos antes de sua morte e dizendo: *Reúnam-se ao meu redor, e eu direi o que acontecerá a cada um de vocês nos dias que virão* (Gn 49.1). Ouço Moisés me dizendo, bem como a todos os que o ouviram: *Esta é a bênção que Moisés, homem de Deus, deu aos israelitas antes de sua morte,* a fim de que nós, em sua morte, considerássemos nossa própria morte (Dt 33.1). Ouço o profeta dizendo a Ezequias: *Ponha suas coisas em ordem, pois você vai morrer. Não se recuperará dessa doença* (2Rs 20.1). Ouço o apóstolo Pedro dizendo: *E é apropriado que, enquanto eu viver, continue a lembrá-los. Pois nosso Senhor Jesus Cristo me mostrou que, em breve, partirei desta vida* (2Pe 1.13-14).

Neste sino da passagem, ouço um legado, um último testamento, e agora emprego a condição de outra pessoa em meu próprio benefício. Mais importante ainda, ouço uma voz que faz de qualquer som música, e qualquer música perfeita; ouço teu próprio Filho dizendo: *Não deixem que seu coração fique aflito* e *Vou preparar lugar para vocês* (Jo 14.1-2).

Permite-me, porém, perguntar uma coisa, meu Deus. Sendo que o céu promete glória e alegria, por que não experimentamos coisas mais gloriosas e alegres para nos levar ao céu? No Antigo Testamento, tu garantiste a teu povo azeite e vinho, leite e mel, abundância e vitória, corações pacíficos e semblantes alegres — tudo para preparar as pessoas para as alegrias e glórias do céu. Por que mudaste teu modo de agir, a fim de nos levar mediante a disciplina e a mortificação, mediante o luto e o lamento, mediante tristes fins e tristes antecipações dessas misérias?

Será que precisamos da frustração e desgraça para termos um contraste com a perfeição do céu, uma amargura desta vida capaz de nos proporcionar uma degustação de algo melhor? Eu sei, meu Deus, que o caso é muito, muito diferente disso. Mas por que, então, não permites que tenhamos mais alegrias e glórias nesta vida?

Perdoa-me, meu Deus, o ingrato estouvamento. Mesmo enquanto faço essas perguntas, descubro em minha vida razões para gratidão. E se não descobrirmos alegrias em nossas aflições, e glória em nossas horas de abatimento neste mundo, podemos correr o risco de sermos privados de ambas no porvir.

Oração

Ó Deus eterno e todo-bondoso, tu falaste conosco de muitas maneiras: primeiro, na voz da natureza, que nos fala ao coração, e depois em tua Palavra, que nos fala aos ouvidos. Mas também falaste mediante a fala de muitas criaturas que não falam, como, por exemplo, no caso da jumenta de Balaão (Nm 22.28); e na fala de descrentes, como no caso da confissão de Pilatos (Mt 27.24); e até por intermédio do próprio diabo, que reconheceu teu Filho e falou com ele (Lc 4.3). Eu humildemente escuto a tua voz no som deste triste sino da passagem.

Primeiro, eu te agradeço porque neste som posso ouvir tua ordem dizendo-me que eu, observando a condição de outra pessoa, devo refletir sobre minha condição pessoal. Francamente, este sino que dobra pela aproximação da morte de outro pode me levar também, até mesmo antes de terminar de soar. Como pagamento do pecado, a morte me é devida; como fim da enfermidade, ela me pertence. Embora, dada a minha desobediência, eu possa temer a morte, dada a tua misericórdia não preciso temer. Portanto, entrego-te minha alma, que sei que aceitarás, quer eu viva, quer eu morra.

Em tuas mãos entrego meu espírito, disse Davi, colocando-se sob tua proteção (Sl 31.5), e teu bendito Filho ecoou essas palavras quando entregou a alma na cruz. Agora eu também me entrego em tuas mãos, submetendo-me a tua vontade, para a vida ou para a morte, na hora que quiseres. Estou preparado por tua correção, amadurecido por tua disciplina e conformado com tua vontade por teu Espírito.

Tendo recebido teu perdão para minha alma, e sem pedir suspensão da sentença para meu corpo, ouso mudar o endereço de minhas orações para aquela pessoa cujo sino inspirou esta devoção. Apossa-te da alma dela, ó Deus, e durante os poucos minutos em que ela permanecer em seu corpo, permite que o poder de teu Espírito acerte suas contas antes de ela passar desta para a outra vida. Apresenta-lhe seus pecados de tal forma que ela não possa duvidar de teu perdão, mas, pelo contrário, contar com tua infinita misericórdia. Que ela entenda suas falhas, sim, mas se revista nos méritos de teu Filho Cristo Jesus. Inspira conforto no coração dela e concede-lhe a força de dar um testemunho manifesto, de modo que todos os que estão ao redor dela possam encontrar conforto nisso, vendo que, embora seu corpo esteja abandonando toda carne, sua alma está indo pelo caminho de todos os santos.

Quando teu Filho gritou na cruz: *Meu Deus, meu Deus, por que me abandonaste?*, ele falava não só por si mesmo, mas também pela igreja e seus membros aflitos que, em profunda angústia, poderiam temer teu abandono. Esse paciente, ó Deus bendito, é um deles. Em prol dele, e em nome dele, ouve teu Filho clamar para ti: *Meu Deus, meu Deus, por que me abandonaste?*, e não o abandones. Com tua mão esquerda, deita seu corpo na sepultura (se essa for tua vontade), e com tua mão direita recebe sua alma em teu reino. E junta-nos, ele e nós, numa singular comunhão de santos. Amém.

DIA 20

Estágio dezoito: O toque de finados

O dobre do sino da igreja mudou, passando de uma fraca e intermitente badalada para um forte e claro pulsar que marca a transição de meu vizinho para uma vida melhor. Sua alma partiu e — como alguém que assina um contrato de aluguel válido por mil anos depois do término de um contrato breve, ou alguém que recebe uma herança depois de uma vida pagando dívidas — ele obteve agora a posse de uma propriedade melhor.

Para onde, porém, foi sua alma? Quem a viu entrar, ou quem a viu sair? Ninguém. No entanto, todos têm certeza de que ele tinha uma alma, e agora não tem mais.

Se eu indagar entre os filósofos, vou descobrir alguns que me dirão que a alma não existe; antes, os elementos naturais do corpo de certo modo produzem aquelas faculdades que atribuímos à alma. Nada de nós sobrevive ao corpo, dizem eles. Não veem nada semelhante a uma alma em outras criaturas, e nos reduzem ao nível de animais. Mas se a minha alma não fosse mais do que a alma de um animal, eu não poderia estar pensando esses pensamentos e refletindo sobre mim mesmo, algo que os animais não sabem fazer.

Se eu perguntar aos teólogos de que modo uma alma, como uma substância separada, se une ao corpo humano, vou conseguir respostas confusas. Alguns me dirão que ela é gerada pelos pais. Outros conjecturam que ela entra no corpo como uma infusão direta feita por Deus.

Se eu perguntar às autoridades da igreja o que acontece com a alma dos justos quando ela abandona o corpo, novamente terei respostas diferentes. Algumas dizem que ela passa por um período de purificação, ou purgatório, num lugar de tormentos. Outras sugerem que a alma estará na presença de Deus imediatamente; ainda outras vão propor um interlúdio de descanso antes que a alma chegue a seu estado final.

Santo Agostinho estudou a natureza da alma mais que qualquer outra coisa (com exceção da salvação da alma), e certa vez enviou um mensageiro expresso a São Jerônimo para consultar sua sabedoria. Ele se satisfaz com o seguinte: "Que a partida de minha alma rumo à salvação seja evidente para minha fé, e eu assim me preocupo menos com o grau de obscuridade que a entrada de minha alma em meu corpo possa ter para minha razão".

Neste momento, estou mais preocupado com a saída da alma do que com a entrada. O sino me diz que a alma de um vizinho partiu, mas para onde? Não conheço nem sequer a identidade desse vizinho, muito menos sua condição espiritual e como ele passou sua vida. Não estive presente na enfermidade ou na morte dele, e daqui de minha cama mal consigo sondar aqueles que o conheceram.

Só conto com minha caridade, que me diz que ele foi para o eterno descanso, e alegria, e glória. Devo-lhe essa compaixão, porque recebi o benefício da instrução dele quando o sino tocou, e isso me fez orar por ele. Orei de fato, com fé, e assim fielmente creio que sua alma foi para o eterno descanso.

Mas ainda resta seu corpo que ficou aqui — que coisa lastimável é essa! O corpo que hospedou uma alma imortal em poucos minutos se tornou uma casa da qual a alma não poderia ter fugido mais depressa. O corpo não é mais uma casa, pois nada mora nela, e está logo se dissolvendo na putrefação.

Quem não recuaria à vista de um rio límpido e suave pela manhã sendo poluído ao meio-dia por um lamaçal de água de esgoto? Essa é uma comparação fraca do que acontece com o corpo humano. Todas as partes que antes funcionavam juntas tão harmoniosamente agora se deterioram como uma estátua de argila com seus membros se desintegrando, ou como neve se derretendo, ou areia se esboroando, de modo que nada sobra a não ser pó, lixo e um monte de ossos. Esse homem que o sino declarou ter partido — se ele fosse um alfaiate, quem viria procurá-lo agora em busca de uma peça de roupa? Ou de um conselho, se ele fosse um advogado, ou de justiça, se ele fosse um juiz?

A terra é nossa madrasta. Depois de crescermos no ventre de nossa mãe natural, ela nos deu à luz para que fôssemos plantados e crescêssemos até atingir a maturidade em algum lugar do mundo. Mas no ventre da terra nós apodrecemos, ficamos menores, até que finalmente nossa cova é aberta para dar lugar a outro corpo. Não somos transplantados, mas transportados: nosso pó é levado junto com a terra comum por qualquer vento.

Reflexão

Alguma coisa está me incomodando, Senhor. Por que, seguindo a tua instrução, Moisés proibiu os sacerdotes de entrar em contato com os mortos, até mesmo de participar de seus funerais (Lv 21.1-4)? O que estava por trás dessa intrigante lei cerimonial? Contento-me com a resposta de que naqueles tempos os gentios mostravam excessiva reverência pela memória dos mortos. Com mais que zelosa devoção, celebravam quem morreu, e preservavam a memória deles com estátuas e imagens e túmulos elaborados. Com o passar do tempo, os monumentos se tornaram fonte de idolatria, e as pessoas começaram a adorar imagens sem vida dirigindo-lhes suas orações. *Será que os vivos devem buscar a orientação de mortos?*, perguntou o profeta Isaías em tom de censura (8.19). Talvez por essa razão tu instituíste essa lei rigorosa, para evitar que os israelitas fossem tentados pela mesma prática da exaltação dos mortos.

Todavia, dado que nós já não enfrentamos aqueles perigos, certamente deveríamos tratar os mortos com reverência e aprender com eles. Meditar sobre a morte de meu irmão deveria produzir em mim uma vida melhor. De fato, seria uma espécie de segunda morte se eu viesse a falecer sem que ninguém aprendesse nada com o modo como eu morri. A morte de outras pessoas deveria nos catequizar para a morte.

Teu Filho Cristo Jesus é chamado *o primogênito dentre os mortos* (Ap 1.5). Ele, o irmão mais velho, ressuscita primeiro, e é meu mestre na ciência da morte. No entanto, o homem cujo dobre de finados eu ouvi também me precedeu, como fez cada um que partiu antes de mim, e todos servem como tutores nesta escola da morte. Desse meu vizinho que morreu eu levo comigo a mesma mensagem que tu enviaste à igreja de Sardes: *Você tem fama de estar vivo, mas está morto. Desperte! Fortaleça o pouco que resta, pois até mesmo isso está* quase morto. Vejo que suas ações não atendem aos requisitos de meu Deus (Ap 3.1-2).

Aqui está a minha força: quer tu me digas o que o anjo disse a Gideão: *Fique em paz! Não tenha medo; você não morrerá*, quer tu digas o que disseste acerca de Arão: *Arão morrerá ali* (Nm 20.26), ainda assim tu preservarás minha alma da pior morte, aquela da deliberada rejeição de teu Espírito. Não ouso resistir a teu Espírito ignorando a ajuda que estás me oferecendo mediante a morte de meu vizinho — eu, alguém que o Senhor da vida amou tanto a ponto de morrer por mim.

Oração

Ó Deus eterno e todo-bondoso, eu tenho um novo motivo para ser grato e um novo motivo para a oração, graças ao dobre deste sino. O anterior me lembrou que sou mortal e me aproximo da morte. Com este tu podes estar me dizendo que estou num irrecuperável estado terminal. Se essa for a tua mensagem, tenho uma dívida contigo por falares comigo de modo tão claro. A tua não é a voz de um juiz pronunciando uma sentença, mas a de um cirurgião prescrevendo um tratamento visando a saúde. Tu apresentas a morte como a cura de minha enfermidade, não o triunfo dela.

Se te entendi mal e cheguei a uma conclusão precipitada imaginando a morte perto demais, mesmo nesse caso ouço a tua verdade. Desde a primeira evolução depois de ser concebido, eu venho me deteriorando. Toda a minha vida é uma morte em curso. Se essa voz me ensina que estou morrendo agora, ou se me lembra de que estive morto todo esse tempo, eu humildemente te agradeço por falares com minha alma.

Oro pelo tempo em que nossa alma poderá juntar-se a nosso corpo ressuscitado, pelo amor de teu Filho Cristo Jesus. Que venha logo esse tempo, quando teu abençoado Filho começar a exercer sua função final, a de juiz. Então o pecado, que tu odeias, será lançado na sepultura, abolindo-se todos os seus instrumentos: as atrações deste mundo, e o mundo em si; as vinganças temporárias do pecado, a dor aguda da enfermidade e da morte; e todos os castelos e prisões e monumentos do pecado.

O tempo será engolido na eternidade, e a esperança engolida na consumação, e os fins engolidos na infinitude, e todos os que estão fadados à salvação serão um único eterno sacrifício para ti, e nele tu poderás receber deles encanto, e eles de ti glória, para todo o sempre. Amém.

DIA 21

Estágio dezenove: Esperança

Todo esse tempo os médicos se mostraram pacientes com seu paciente, examinando meu corpo em busca de alguma terra num mar tormentoso, algum sinal de esperança. Cada pequena desordem de meu organismo acelera os ataques da doença, ao passo que nada do que eles fazem parece acelerar a recuperação. Nós simplesmente temos de aguardar até que a doença amadureça naturalmente.

Uma doença atua segundo suas próprias regras — contraditória, irregular, rebelde, fora de controle. Contrastando com isso, a natureza procede de modo ordenado e previsível. Não podemos ultrapassar o mês de julho em janeiro, ou atrasar as flores da primavera até o outono. Não podemos ordenar que os frutos apareçam em maio, nem que as folhas não caiam até o fim de dezembro. Uma mulher grávida não pode adiar seu parto do nono para o décimo mês por uma questão de conveniência; tampouco pode uma rainha adiantar seu parto para o sétimo mês. A ordenada natureza não permite essas exceções.

As pessoas que estão no poder também não gostam de variações. Algumas são benevolentes, e farão justiça, mas segundo os próprios termos, no tempo que lhes convier. Se não conhecer as idiossincrasias delas, você pode morrer de fome antes de receber uma esmola, ou morrer antes de receber o perdão. Uma espécie de árvore não produz frutos se ao seu redor não for espalhado muito adubo; de modo semelhante, alguns detentores do poder requerem muita atenção, muitos agrados e bajulação. Outra árvore exige poda e cortes; alguns poderosos precisam ser intimidados e ameaçados antes de concordar com a justiça.

As pessoas têm diferentes personalidades e diferentes vulnerabilidades. Algumas reagem a honrarias, ao passo que outras dão mais importância à aprovação de amigos e da família. Para sermos bem-sucedidos temos de aprender a ler esses traços de personalidade e conhecer seus momentos mais adequados. Como podemos então obter sucesso contra uma doença, que se desenvolve de acordo com suas maneiras misteriosas? Todo esse tempo viemos travando uma guerra defensiva, com enorme desvantagem. O inimigo conhece nossas fraquezas, e nós não conhecemos sua força, e não temos nenhuma indicação sobre onde ele pode atacar em seguida.

Ah, quantas pessoas estão assediadas por esta doença, inclusive pessoas muito mais dignas e, no entanto, mais infelizes que eu. Elas não têm as sentinelas da saúde, os médicos, nem a munição dos farmacêuticos. É bem possível que venham a morrer sem nenhum sinal de alívio em sua doença. No meu caso, todavia, o cerco arrefeceu, lançando-nos um raio de esperança. Pelo menos agora vou morrer lutando no campo de batalha, e não abandonado numa prisão.

Reflexão

Meu Deus, tu és direto e até literal, desejando ser entendido de acordo com o sentido evidente. Ao mesmo tempo, todavia, também falas em linguagem figurativa, metafórica. Tuas palavras vão longe e em todas as direções para capturar imagens e alegorias extraordinárias, e atingem altíssimos níveis de expressão que fazem todas as outras palavras semelhantes a rabiscos.

Exatamente como nos dás a mesma terra para trabalhar e para nela jazer, assim tu nos dás a mesma Palavra para nos confortar e nos reprovar, para nos instruir e nos agradar. Quem a não ser tu poderia nos fornecer um livro que convence uma pessoa que se trata da Palavra de Deus por causa de sua reverente simplicidade, e outra por causa de sua majestade; uma se pergunta por que alguns leitores não conseguem entendê-la, e a outra se espanta com o fato de alguém conseguir fazê-lo. Até mesmo teus estimados servos Jerônimo e Agostinho, quando intrigados, consultavam senhoras idosas e analfabetas para ajudá-los a discernir o sentido.

Quando pondero isso, tu és um Deus figurativo e metafórico em tuas ações bem como em tuas palavras. Em toda a Bíblia, o ato de adoração é uma contínua alegoria, com tipos e figuras fluindo para outros símbolos e sendo transformados em mais outras figuras. Por exemplo, a circuncisão prefigura a prática do batismo, e o batismo aponta para a pureza que desfrutaremos num estado de perfeição na nova Jerusalém.

Tu falaste e atuaste dessa maneira por meio de teus profetas e também de teu Filho. Quantas vezes Jesus não fez uso da linguagem metafórica, autodenominando-se caminho, luz, porta, videira, pão? Isso estimulou os cristãos primitivos a empregar o mesmo estilo quando explicavam a Escritura e compunham liturgias públicas ou orações privadas. Neste exato momento, o frequente uso que faziam da metáfora da água se destaca diante de mim.

Meus médicos acabam de me dar esperança, comparando minha melhora com a descoberta de terra depois de uma longa e tempestuosa travessia. A Bíblia também compara nossas calamidades às profundas e turbulentas águas do mar. No meio de uma tempestade, a pessoa tem a impressão de que certamente vai morrer afogada — e, no entanto, já no dia seguinte é possível que acorde e veja as águas calmas. E quem vive no Mediterrâneo pensa nele como sendo um grande mar porque nunca viu o oceano. De modo semelhante, nós pensamos que nossas aflições são as mais pesadas porque não conhecemos as dificuldades que outros estão tendo.

Eu atravessei águas profundas, ó Deus, lidando com uma enfermidade maior do que minha força de resistir. Num tempo assim, recorro a ti pedindo força. Como diz o salmista: *Deus é nosso refúgio e nossa força, sempre pronto a nos socorrer em tempos de aflição. Portanto, não temeremos quando vierem terremotos e montes desabarem no mar* (Sl 46.1-2). Em outra passagem se lê que tu *determinaste os limites do mar e juntaste os oceanos em reservatórios* (Sl 33.7). Tuas correções não são desperdiçadas: quando as águas houverem desempenhado sua tarefa humilhando teu paciente, tu as chamarás de volta para aquele reservatório.

Ainda não me sinto bem, cavalgando nas ondas, mas pelo menos tu me forneceste uma arca na forma de meu médico. Tu poderias nos salvar operando um milagre, mas geralmente nos forneces meios mais naturais. São Paulo advertiu o centurião em seu barco sobre uma tempestade que se aproximava, mas o romano ignorou a advertência e acabou lutando com um furacão no Mediterrâneo durante catorze dias. *Se os marinheiros não permanecerem a bordo, vocês não conseguirão se salvar*, disse-lhe Paulo, e desta vez o romano lhe deu ouvidos (At 27.31). Posso confiar na embarcação que me emprestaste, meu médico, bem como em teu Filho que sabe como acalmar o mar.

Perdoa-me, porém, por perguntar, meu Deus: se eu tenho um barco robusto e fé em teu Filho, o senhor dos mares, por que não estamos mais perto da terra? Quando os discípulos acolheram Jesus num barco, *logo em seguida, chegaram a seu destino* (Jo 6.21). Tu consegues realizar tudo o que queres toda vez que o queres. Por que o atraso que abafa minha esperança?

Preciso da paciência de teu profeta, que disse: *O Senhor é bom para os que dependem dele, para os que o buscam. Portanto, é bom esperar em silêncio pela salvação do Senhor* (Lm 3.25-26). Tu postergas muitos julgamentos até o último dia; será que não consigo suportar o adiamento de tua misericórdia por mais um dia?

Oração

Ó Deus eterno e todo-bondoso, tu passaste ao largo de milhões de gerações antes de criar o mundo, e no entanto, depois que empreendeste essa obra, nunca interrompeste o teu trabalho antes de aperfeiçoá-la e só descansaste no sábado. Exercitei minha paciência por um longo tempo, aguardando algum sinal teu acerca desta doença. Agora os médicos têm esperança. Se minha recuperação for para ti motivo de glória, eu te peço que continues e aperfeiçoes essa obra.

Os sacerdotes se aproximavam de ti no templo subindo degraus, e os anjos desciam até Jacó descendo uma escada. Tu, porém, não precisas de degraus; podes fazer qualquer coisa, em qualquer lugar, tudo ao mesmo tempo. Senhor, eu não estou cansado de teu ritmo, ou de minha própria paciência. Não estou pedindo um plano temporal diferente, ou algum outro resultado que não seja o que escolheste para mim. Não me importa se tu fazes o trabalho de mil anos num só dia ou se estendes o trabalho de um dia por mil anos. Com minha recente melhora, já estou provando a alegria que me aguarda algum dia no céu.

Os sinais de melhora vieram de ti, e se eu tentar explicá-la como uma ocorrência natural, minha esperança desaparecerá porque não estarei confiando em ti. Se tirasses completamente tua mão de sobre mim, a natureza poderia facilmente me destruir; se afastares de mim tua mão que cura, os poderes da natureza por si sós se mostrariam impotentes. Portanto, que a boa notícia deste dia seja a promessa da boa notícia de amanhã, desde que isso se coadune com a tua vontade.

DIA 22
Estágio vinte: A purgação

Há tempo para conversar e tempo para agir. A discussão e o debate nem sempre levam a uma resolução, mas podemos julgar as ações por seus efeitos. As leis mais bem concebidas só são comprovadas quando um juiz, no exercício de sua função, as executa. Os conselhos de guerra são concluídos quando um exército sai em marcha para pôr em prática a estratégia elaborada.

Nos tempos antigos, os diplomatas eram às vezes imortalizados com bustos de mármore à semelhança deles, sem os braços, expondo apenas a cabeça e os ombros sobre um suporte adequado. Conselheiros do estado, eles haviam contribuído com pareceres e políticas, mas não eram os que os punham em prática. Como sugeria a estátua, eles serviam como a cabeça, não como as mãos. O mesmo padrão se aplica às artes e ciências. A criatividade e a imaginação podem começar na cabeça, mas encontram sua expressão plena em algo a que as mãos dão feitio.

Faz dias agora que ouço as ideias e recebo as orientações dos médicos. A assistência deles me sustentou até aqui, e agora me dizem que uma ação desagradável se faz necessária. Querem purgar todo o meu sistema digestivo e privá-lo de alimentação. A própria ideia parece uma violação da natureza: esvaziar aquilo que fornece nutrição, enfraquecer aquilo que dá força. Acaso já não pareço suficientemente debilitado para que eles agora precisem tirar de mim mais ainda?

Como se eu precisasse de mais provas da miséria humana, agora aprendo que o próprio tratamento indicado para me curar primeiro me faz adoecer mais. Isso deve ser feito agora, dizem eles. Vão me deixar ainda mais magro, vão purgar de meu corpo tudo o que é estranho e, quem sabe, talvez nesse processo me aniquilar. Ó minha superastuta, supervigilante, superdiligente miséria!

Reflexão

Meu Deus, és um Deus de ordem, mas não de ambição e competição. Quando porás um termo às disputas controversas sobre o que tem prioridade, a fé ou as obras? Um corpo humano sadio requer a cabeça bem como a mão; um governo que funciona requer conselho bem como ação; e uma pessoa verdadeiramente espiritual precisa demonstrar a fé bem como as obras. Com muita frequência tu nos remetes para o tipo de prova demonstrada pela ação: a fé sem obras é morta.

Sinceramente, suspeito um pouco de cansativas discussões e debates, que podem permitir que o tempo de agir se perca. *O agricultor que espera condições de tempo perfeitas nunca semeia; se ele fica observando cada nuvem, não colhe* (Ec 11.4). Os pescadores devem, naturalmente, passar o tempo consertando suas redes, mas pode tratar-se de mera preguiça se ficarem sentados por ali em vez de ir pescar. *O preguiçoso logo empobrece, mas os que trabalham com dedicação enriquecem* (Pv 10.4).

Eu sei, Senhor, que tu cuidas de nosso coração, contudo também cuidas com diligência do trabalho de nossas mãos.

Quem pode subir o monte do Senhor? Quem pode permanecer em seu santo lugar? Somente os que têm as mãos puras e o coração limpo (Sl 24.3-4). De fato, às vezes as ações da cabeça e do coração são quase intercambiáveis. Com frequência se lê na Bíblia que *O Senhor disse* ou *O Senhor ordenou*, e essas mesmas instruções foram postas em prática pela mão de Moisés ou pela mão dos profetas.

A crença pode precedê-la, e o sofrimento pode vir depois, mas a *ação* ocupa o lugar mais óbvio e conspícuo na vida da fé. Por que então, meu Deus, demorei tanto para agir? Foi necessária esta doença para eu dar atenção a meu estado espiritual, e não devo avançar ainda mais? Não, tenho de aproveitar esta ocasião para voltar a ti como o meu centro. Assim como meu corpo é purificado pela purgação, quero que minha alma seja purificada pela confissão.

O remédio usado para purgar o corpo é violento e contrário à natureza, e o mesmo se aplica ao remédio para a alma. Vou me submeter à confissão não motivado por uma consciência torturada, mas porque acredito que isso é bom para mim. *Levantarei o cálice da salvação e invocarei o nome do Senhor*, disse o salmista, depois de escapar por pouco da morte (Sl 116.13). Levantarei o meu cálice, tão cheio agora de contrição como esteve cheio antes de frivolidade mundana.

Antes de sua execução final, foi oferecido a teu bendito Filho um cálice para aliviar a dor, e ele o recusou, abraçando em vez disso todo o suplício. Eu também não vou tomar esse cálice, mas vou primeiro contemplar o cálice que contém meus pecados e depois derramá-los de acordo com a orientação de teu Espírito Santo e o ritual de tua santa igreja.

Oração

Ó Deus eterno e todo-bondoso, peço a ti, que juntaste em mim este corpo e esta alma, que me cures espiritualmente do mesmo modo que estás me restaurando fisicamente.

Os médicos agora se preparam para expulsar as impurezas que prejudicam meu corpo. Senhor Deus, tenho um rio em meu corpo, mas um mar em minha alma, um mar volumoso como um dilúvio. Tu levantaste montes em mim que me permitem ficar a salvo dessas inundações. A educação, a observação, os exemplos de outras pessoas podem suprir esses montes; a tua igreja, a tua Palavra e os teus sacramentos erguem-se ainda mais alto; o espírito do remorso, a contrição e o arrependimento de pecados anteriores também são montes. Descansei em cada um desses picos, mas o dilúvio lançou-se até acima deles.

Pequei, pequei muito, multiplicando pecados com pecados, mesmo depois de todas essas defesas contra o pecado, e onde haverá água suficiente para purificar esse dilúvio?

Há um mar vermelho, maior do que este oceano, e existe um braço de mar pelo qual esse oceano pode derramar-se no mar vermelho. Concede-me que o espírito de verdadeiro arrependimento e dor transporte todos os meus pecados para dentro das feridas de teu Filho, e eu então serei purificado. Minha alma será muito mais bem purgada do que meu corpo — o que é adequado, uma vez que ela está predestinada para uma vida melhor e mais longa.

DIA 23
Estágio vinte e um: Ressurreição

Se o primeiro homem tivesse ficado sozinho no mundo, teria ele caído? Mesmo sem a presença de ninguém, não teria Adão sido seu próprio tentador? Sabendo como somos fracos agora, e com que facilidade caímos no pecado sem um tentador externo, deveria eu julgar Adão algo diferente?

Oh, que gigante enfrentamos na luta contra nós mesmos, e como somos diminuídos quando confiamos em nossa própria força. Como é pequena e impotente qualquer pessoa sozinha. Eu não consigo levantar-me da cama sem a ajuda do meu médico. Quando se esgotaram todas as nossas energias, e a morte seria bem-vinda como um alívio, mesmo nesse caso não podemos nos ajudar. Um prisioneiro que está morrendo por esmagamento poderia considerar um alívio a adição de mais alguns pesos que acabassem com ele, mas ele não pode decidir nem sequer controlar esse tormento final.

Recebo a informação de que posso levantar, e me levanto. Mas será que estou algo melhor? Agora que estou de pé sinto-me mais propenso a cair do que quando estou de bruços na cama. Que perversidade, até o levantar-me é uma maneira de ruir!

A natureza detesta o vácuo, como também faz a sociedade. Se uma pessoa é promovida e não satisfaz a nova posição, outra pessoa logo tomará seu lugar. Até o líder mais virtuoso pode ser solapado por falsos rumores de incompetência ou corrupção. Ninguém que sobe está seguro de não cair.

Quando fico de pé, sinto tonturas e o mundo gira ao meu redor. Sou um argumento vivo em defesa daquilo que os astrônomos nos dizem atualmente, que a Terra está girando seguindo uma órbita, embora pareça ficar parada. A humanidade gira em torno de um ponto fixo na vida: a miséria. Tentamos dar um ou dois passos, e logo estamos já de volta na cama, novamente infelizes.

Durante um longo tempo eu não conseguia me levantar. Agora preciso ser levantado por outras pessoas. No entanto, quando fico de pé, já estou pronto para cair e afundar-me ainda mais.

Reflexão

Meu Deus, meu Deus, como este mundo parece espelhar o mundo futuro! Tenho um vislumbre da ressurreição de minha alma no céu por sua semelhança com minha ressurreição do pecado aqui na terra, bem como da recuperação de meu corpo desta doença. Eu te suplico que completes essa ressurreição, que tu iniciaste, conduzindo-me de volta à saúde.

Corrige-me, ó Deus, se estou fazendo um pedido impróprio, ou pedindo algo que possa resultar em algo ainda pior. Tenho uma cama de pecado, na qual outrora me deliciei. Mais ainda, tenho um túmulo de pecado, acerca do qual outrora me sentia entorpecido. Enquanto Lázaro jazeu num túmulo durante quatro dias, eu estive apodrecendo durante cinquenta anos. Por que não me chamas, como o chamaste, *gritando*, uma vez que minha alma está tão morta como morto estava o corpo dele?

Preciso de teu trovão, Senhor; tua música não me basta. Se quiseres ser ouvido, podes fazer-te ouvir — tu falaste a teus profetas com sons como os de um redemoinho, uma carruagem, uma cachoeira. Quando teu Filho e o Espírito colaboraram contigo na criação, tu falaste em sussurros, os membros da Trindade facilmente ouvindo um ao outro. Mas quando teu Filho veio ao mundo e começou a obra da redenção, tu falaste tão alto que os circunstantes confundiram tua voz com o som de um trovão (Jo 12.28-29). João Batista anunciou o começo do ministério de teu Filho com uma voz semelhante à de um pregoeiro; depois o próprio Jesus anunciou seu fim com altos brados emitidos da cruz.

Tu proclamaste *em voz alta* os Dez Mandamentos, disse Moisés, *a toda a comunidade* (Dt 5.22). Não há dúvida de que tens uma voz poderosa que, como nenhuma outra, impõe atenção. *O Senhor trovejou dos céus; a voz do Altíssimo ressoou*, cantou Davi depois de uma grande vitória (2Sm 22.14). Tu falas com uma voz poderosa em volume e igualmente poderosa em efeito. Um salmo inteiro celebra as majestosas qualidades dessa voz suprema (Sl 29).

Virá um tempo, disse teu Filho, *em que os mortos ouvirão minha voz, a voz do Filho de Deus. E aqueles que a ouvirem viverão* (Jo 5.25). Para mim, Senhor, esse tempo é agora. Por que, então, não consigo ouvir tua voz? Tu falas mais alto quando falas ao coração, e eu quero ouvir uma voz tão forte que abafe todas as outras vozes. Meus pecados gritam, como gritam minhas aflições. Anseio por tua voz atenciosa me chamando para que eu deixe esta cama e me mantenha ereto.

Temo, ó Deus, que minha memória pecaminosa reprise meus antigos pecados de novo, e em vez de culpa eu sinta prazer. Sobrevivi a este leito de morte, embora eu merecesse esse fim, e de fato tu me revigoraste enquanto estive aqui deitado. Quando completarás tua obra, ordenando-me: *Levante-se, pegue sua maca e ande!* (Jo 5.8)? Minhas emoções estão acamadas comigo — quando estarei em condições de controlá-las de novo? Minhas aflições também jazem ali — quando estarei em condições de suportá-las sem me queixar? Quando vou pegar minha maca e sair andando? Tu és o Deus de toda carne e todo espírito. Em meu espírito fraco, contenta-me com a recuperação gradual desta carne decaída, que me aguarda. Primeiro vou aprender a ficar sentado imóvel, depois a levantar-me e depois a caminhar, e caminhando a viajar. Peço que minha alma, obedecendo a essa voz de ressurreição, possa do mesmo modo, passo a passo, crescer em graça. Que eu ande tão seguro a ponto de afastar todas as suspeitas ou ciúmes entre nós, tu e eu, e que eu fale e ouça numa voz tal que ainda seja aceitável a teus ouvidos e seja por ti atendida.

Oração

Ó Deus eterno e todo-bondoso, tu criaste coisas pequenas para simbolizar coisas grandes, como, por exemplo, a água do batismo e o pão e o vinho de tua mesa. Recebe meus humildes agradecimentos porque, além de me concederes a habilidade de levantar desta cama de desconforto, também me deste um antegozo de uma segunda ressurreição, do pecado; e de uma terceira, para a glória eterna.

Embora infinito, teu Filho se contentou em crescer no ventre da Virgem e crescer em estatura passo a passo. Sei que me reservas bons planos em tua santa vontade; revela-os a mim pouco a pouco, de tal modo que eu descubra que és cada vez melhor todos os dias.

Tu permitiste que São Paulo tivesse um "espinho da carne", um mensageiro de Satanás para lhe ensinar que *tua graça era tudo de que ele precisava* e que *teu poder opera melhor na fraqueza* (2Co 12.9). Vivo por tua graça. Não importa o que me forneces hoje, amanhã vou morrer se não receber mais. Comi o pão da amargura durante muitos dias, e agora provei o pão da esperança. Continua, ó Senhor, alimentando-me com o pão da vida.

Quando tu criaste os anjos, e depois eles ficaram observando enquanto trazias para a vida aves e peixes e outros animais, tenho certeza de que eles não te atormentaram dizendo: Não vamos ter melhores companheiros do que estes? Aguardaram, e em seguida seres humanos lhes foram apresentados, uma espécie não muito inferior a eles mesmos. De modo semelhante, agora que consigo me levantar, não estou me queixando da falta de cura imediata. Estou praticando a paciência, aprendendo na escola da aflição.

Aprendi que minha força corporal está sujeita a cada sopro de vento, e minha força espiritual, a cada vendaval de vaidade. Guarda-me, portanto, grato e humilde: para que eu tenha algum motivo para te agradecer, algum bem recebido, e ainda alguma coisa a te pedir em minhas orações.

DIA 24

Estágio vinte e dois: A fonte

Que propriedade arruinada assumimos nós ao cuidar do corpo humano! Num dia qualquer a casa dilapidada pode ruir, e as doenças espalhar-se pelo corpo como ervas daninhas cobrindo o chão. Da mesma forma que as ervas daninhas cobrem não apenas cada pedaço de relva mas também cada pedra, assim a doença infecta não apenas cada músculo mas também cada osso. De fato, cada pequeno dente está sujeito a uma dor capaz de amedrontar o coração humano.

Pagamos aluguel a nosso senhorio corporal, na forma de duas refeições por dia, e passamos metade de nosso tempo trabalhando para arcar com o aluguel. (A outra metade, gastamos dormindo.) Além disso, enchemos esse corpo frágil com remédios, depois, sem saber, o expomos de novo ao contágio convidando familiares e amigos a contribuir com suas próprias doenças!

Embora cuidemos de nosso corpo como uma propriedade nossa, não podemos desfrutar de sua generosidade. Mal arrancamos pela raiz a erva daninha de uma doença, outra mais violenta brota. Tratamos dela e nos recuperamos completamente, e logo descobrimos que todo o terreno está contaminado, o próprio solo arruinado. O corpo tem uma propensão à doença que requer intervenção constante. Devemos estudar o solo que produz essas indisposições, descobrindo que ele às vezes é árido, às vezes pantanoso, e sempre estéril.

O pobre dono da propriedade trabalha incansavelmente para corrigir o solo, drenando um pântano, importando terra e areia de outro lugar; e às vezes, como uma fênix ressuscitando das cinzas, aquele terreno estéril produz fruto. Mas em meu corpo eu assumi uma propriedade mais complexa. Nenhuma parte dele, se amputada, curaria outra parte. E não posso aceitar a ajuda de outra pessoa, como num transplante, sem prejudicar o generoso doador.

Quando assumi a tarefa de administrar esta propriedade, meu corpo, não encontrei um pântano para drenar, mas um fosso cheio de água. Tentei perfumar o estrume, extrair a podridão e o veneno que haviam infectado toda a propriedade. Curar os agudos sintomas de uma doença é tarefa árdua, e curar a doença em si é tarefa ainda mais árdua. Mas curar a raiz, a fonte da doença, é tarefa reservada ao grande médico, que só pode fazer isso mediante uma transformação desses corpos no mundo futuro.

Reflexão

Meu Deus, meu Deus, como posso identificar, sem falar em extirpar, a raiz, o combustível, a fonte básica de minha doença? Que Hipócrates, que Galeno, que médico perito poderia localizar isso em meu corpo? Essa raiz é mais profunda, pois está em minha alma.

Desde a queda de Adão, o pecado é a fonte de todas as doenças, e ele permeia tanto o corpo quanto a alma. Como posso impedir ou expulsar o pecado? Isso seria como se tu me pedisses que separasse o fermento de um pedaço de massa, ou o sal do mar.

O mundo inteiro é um monte de cinzas e brasas sobre

as quais somos colocados, e tu esperas que nunca nos queimemos? Não, nós somos o fole que alimenta o fogo. Às vezes fazemos isso por ignorância, mas no Antigo Testamento até os pecados praticados por ignorância exigiam sacrifício (Nm 15.24). Muito mais graves são os pecados praticados com conhecimento: *Sabem que, de acordo com a justiça de Deus, quem pratica essas coisas merece morrer, mas ainda assim continuam a praticá-las. E, o que é pior, incentivam outros a também fazê-lo* (Rm 1.32).

A própria natureza humana sopra as brasas e, paradoxalmente, até a lei faz isso. São Paulo confessou: *Eu jamais saberia que cobiçar é errado se a lei não dissesse: "Não cobice"; depois disso, o pecado usou esse mandamento para despertar dentro de mim todo tipo de desejo cobiçoso* (Rm 7.7-8). Perversamente, há certas coisas que só fazemos porque é proibido. Como diz Paulo: *Amo a lei de Deus de todo o coração. Contudo, há outra lei dentro de mim que está em guerra com minha mente e me torna escravo do pecado que permanece dentro de mim. Como sou miserável!* (Rm 7.22-24).

Inúmeras tentações nos cercam, e se isso não bastasse, somos tentados por nossa própria concupiscência. Mais ainda, há ocasiões em que pecamos por causa dos outros! Adão pecou por causa de Eva; Salomão pecou para gratificar suas mulheres; Pilatos e Herodes pecaram para agradar à multidão. Como são diversas as maneiras de cair em pecado!

Tu exiges, ó Deus, que eu me purgue de mim mesmo antes de poder ficar bem? Quando me mandas livrar-me de meu *velho modo de viver* e revestir-me de minha *nova natureza* (Ef 4.22-24), será que isso significa não apenas meus velhos hábitos do pecado em si, mas também o traço inato do pecado impresso em mim pela natureza? Como fazer isso sem falsificar o que tu também disseste, que o pecado infecta tudo?

Ponderando o estado de meu corpo, eu constato algo de minha alma. Nenhum anatomista dissecando um corpo pode dizer terminantemente: "Aqui está o carvão, o combustível, a fonte de todas as doenças corporais"; no entanto, sabemos bastante sobre nossa constituição e saúde a ponto de podermos prevenir muitos perigos. De modo semelhante, embora não possamos localizar com precisão a fonte do pecado ou eliminá-la, ainda assim, mediante a água do batismo, nós a purificamos. O pecado pode não desaparecer, mas é enfraquecido e perde sua antiga força. E embora possa ter o mesmo nome, ele perdeu suas presas.

Oração

Ó Deus eterno e todo-bondoso, tu és o Deus da segurança e também o inimigo da segurança. Em outras palavras, tu sempre nos darias a certeza de teu amor e, no entanto, sempre nos pedindo algo em resposta a esse amor. Concede-me a confiança de tua presença comigo, embora eu não deva confiar indevidamente nessa confiança.

Tu concedeste a Ezequias quinze anos a mais de vida, e renovaste o contrato de vida de Lázaro. Contudo, nos dois casos, deste apenas uma moratória, não uma cura, para a mortalidade deles. O mesmo tu fazes com nossa alma, ó Deus. Perdoas o pecado, mas não nos imunizas contra pecados futuros; tornas-nos aceitáveis, mas não impecáveis.

Seria desfaçatez e ingratidão de minha parte olhar para meus pecados do passado, que com verdadeiro arrependimento sepultei nas feridas de teu Filho, e vê-los como se pudessem ganhar nova vida e me condenar à morte. Eles estão mortos naquele que é a fonte de vida. Ao mesmo tempo, seria insolência e presunção eu pensar que tua misericórdia de agora me absolveria de todos os meus pecados futuros, ou que não haveria em mim resquícios nem de cinzas nem brasas de pecados futuros.

Tempera tua misericórdia para com minha alma, ó meu Deus. Que eu não me enfraqueça espiritualmente, suspeitando que teu perdão é menos genuíno, menos sincero do que prometeste que seria. Que eu tampouco presuma que tua misericórdia é um antídoto contra todos os venenos, e assim me exponha a tentações com falsa segurança. Não ouso mergulhar em novos pecados, não ouso explorar a misericórdia que tu já me mostraste.

DIA 25

Estágio vinte e três: A recaída

Quando o sino da noite já tocou na cidade, você junta as brasas do fogo e as cobre com cinza, e se deita para dormir em paz. Não acontece isso com o corpo. Muito tempo depois de recolher as brasas da doença com remédio ou dieta, o medo de uma recaída persiste.

Somos muito afetados pelos prazeres que provamos e desfrutamos pessoalmente, e muito traumatizados pelas dores que evocam lembranças de nossas aflições do passado. Um doente expelindo um cálculo renal se pergunta como alguém pode considerar a gota uma dor, enquanto alguém que não provou nenhum desses dois estados de saúde pode ter o mesmo receio de uma dor de dente. Somente a compaixão nos permite sentir a aflição do sofrimento de outra pessoa.

Quando nós mesmos provamos um tormento, porém, trememos ante a ameaça de uma recaída. Ofegamos durante todos aqueles calorões ardentes, navegamos através de todos aqueles transbordantes suores, vigiamos durante todas aquelas noites de insônia e nos condoemos durante todos aqueles longos dias. Aguardamos diante do tribunal esperando que os médicos terminassem a consulta e pronunciassem o veredicto. Sabemos com precisão o que está por vir, e esse conhecimento nos enche de medo.

Muitas vezes temos alguma responsabilidade pela recaída devido a algo que fizemos ou não fizemos, e isso só aumenta o sofrimento. Não apenas estamos sob o teto de uma casa prestes a cair, como também o puxamos para baixo sobre nós; não apenas somos executados, como também somos nossos próprios carrascos.

Quando caímos doentes pela primeira vez, encontramos algum conforto no fato de que todo mundo é vulnerável à doença. Com a recaída vem o sentimento de culpa e autoacusação: "Como sou irresponsável, como sou ingrato para com Deus e meus auxiliares, destruindo tão cedo a boa obra deles ao livrar-me de minha enfermidade". A aflição salta do corpo para a mente, que rumina a pecaminosa negligência que deve ter causado a recaída.

Para piorar as coisas, uma recaída ataca mais rápido e com mais violência, de modo mais irremediável, porque encontra o hospedeiro mais enfraquecido e devastado. Uma enfermidade nova nós mal tememos porque não fazemos ideia do que temer. Mas no caso da recaída sabemos exatamente o que temer, e caímos impotentes à sua chegada.

Reflexão

Meu Deus, meu Deus — Pai poderoso que foste meu médico, Filho glorioso que foste meu remédio, Espírito bendito que tudo me aplicaste —, será que eu sozinho vou destruir o trabalho de todos os três e reincidir naquelas enfermidades espirituais das quais me curaram tuas infinitas mercês?

Recebi mais que minha porção de tua graça, mas minha medida não foi de modo algum tão grande como aquela de teu numeroso povo, a gloriosa nação de Israel, e com que frequência eles sofreram recaídas! Como, então, posso me sentir seguro? Tu ignoraste muitos outros pecados deles, mas veementemente reagiste contra aqueles em que eles tantas vezes reincidiram: murmurando contra ti e teus servos e abraçando as idolatrias de seus vizinhos.

Ó meu Deus, a murmuração é uma ladeira escorregadia para um fundo irrecuperável, seja ela dirigida contra ti, seja contra aqueles que te representam. Tu atuas por intermédio de líderes escolhidos. Eles são a indumentária com a qual te revestes, e quem atira contra os indumentos não pode dizer que não pretendia causar danos àquele que os está vestindo. Muitas vezes, a murmuração que começa contra um líder termina com o povo se afastando de ti. No caso de Israel, a murmuração de hoje tornou-se a idolatria de amanhã, e eles tantas vezes recaíram nas duas.

A alma do pecado é a desobediência, não importa a forma que ela assuma. Quando um pecado morre, ele transmigra para outro. Os pecados da juventude expiram, substituídos por aqueles da meia-idade e depois pelos da velhice. Alguns pecados morrem de morte violenta, e alguns de morte natural: a pobreza, a prisão e o exílio podem matar alguns pecados, ao passo que outros morrem de velhice porque nos tornamos menos capazes de cometê-los. Por exemplo, a imoralidade assume nova vida na forma de ambição, seguida por uma frieza espiritual.

Esse ciclo de pecados me faz temer uma recaída, meu Deus, especialmente porque já tive muitas delas. O que torna uma recaída tão odiosa aos teus olhos? No caso de Israel, não foi tanto a murmuração e idolatria deles, mas sim a repetição desses pecados que aparentemente te afetaram. *Quantas vezes se rebelaram contra ele no deserto e o entristeceram naquela terra desolada! Repetidamente, puseram Deus à prova e provocaram o*

Santo de Israel (Sl 78.40-41). Por essa razão tu juraste que não os deixarias impunes.

Quem peca e depois se arrepende pôs Deus e o diabo na balança e escolheu o caminho certo. Mas se nós voltarmos a pecar, optamos por Satanás, escolhendo o pecado em detrimento da graça e preferindo Satanás a Cristo. Em suma, desprezamos a Deus, e esse desprezo fere mais fundo do que uma injúria, uma recaída machuca mais do que uma blasfêmia.

Depois que me disseste que uma recaída é mais odiosa aos teus olhos, preciso eu perguntar o que a torna perigosa para mim? Que perigo poderia ser maior do que provocar o teu desagrado? Minha doença me trouxe para ti arrependido, e minha recaída me afastou mais de ti. *Deixe de pecar, para que nada pior lhe aconteça*, disse teu Filho a um homem que ele havia curado (Jo 5.14). Esse é o perigo que enfrento: a morte pode ser um fim pior do que a doença, mas o inferno é o começo de um fim ainda pior.

Teu discípulo Pedro negou teu Filho três vezes, mas cada vez aconteceu antes do arrependimento dele; depois ele não recaiu. Ah, se tu tivesses readmitido Adão no Paraíso, com que cautela ele teria passado por aquela árvore! E não teriam os anjos que caíram se concentrado em ti, se tu os tivesses uma vez readmitido à tua presença?

Caso eu sofra uma recaída, não será meu caso exatamente tão desesperador? Não, não tão desesperador, pois a tua misericórdia é igual à tua majestade. Tu, que me mandaste perdoar meu irmão setenta vezes sete, não te limitaste a nenhum número. Se a tua misericórdia ao perdoar pudesse nos conduzir a uma recaída para a qual não houvesse nenhum perdão depois, estaríamos em situação pior do que antes. Quem pode evitar o pecado enquanto está neste mundo? Digo isso, ó meu Deus, não para preparar o caminho para uma recaída minha, mas para afastar um sentimento de desespero caso uma recaída venha de fato a acontecer.

Oração

Ó Deus eterno e todo-bondoso, tu nos convidas a nos aproximarmos de ti na oração e apresentarmos nossos pedidos. Por isso agora eu te procurei com dois pedidos. Meditei sobre tua honra e concluí que nada se aproxima mais da violação dessa honra do que implorar teu perdão, recebê-lo e depois retornar àquele pecado que motivou meu pedido. Isso parece uma espécie de fornicação espiritual.

Tua correção me proporcionou um estado de união contigo. Ó meu Deus, o Deus da constância e perseverança, preserva-me neste estado livre de todas as recaídas naqueles pecados que tu corrigiste e depois perdoaste.

Pelo fato de saber muito bem como sou vacilante, atrevo-me a acrescentar também este pedido: que não me abandones se minha fraqueza me superar. Diz à minha alma: Meu filho, tu pecaste; não procedas mais assim. Mas diz também que, se eu o fizer, teu espírito de remorso e convicção nunca me abandonará.

Teu santo apóstolo Paulo suportou três naufrágios e mesmo assim foi salvo. Embora as rochas e as areias, as alturas e os baixios, a prosperidade e a adversidade deste mundo me ameacem, e embora minha alma avariada me ponha em perigo, que eu possa apegar-me à fé e manter a consciência limpa, e não me associar com aqueles que *rejeitaram deliberadamente a consciência e, como resultado, a fé que tinham naufragou* (1Tm 1.19).

Então tua eterna misericórdia me abrigará, mesmo se me acontecer aquilo que eu, com a máxima sinceridade, oro para que não me aconteça: uma recaída naqueles pecados dos quais verdadeiramente me arrependi, e tu perdoaste plenamente.

DIA 26
A inofensiva morte

Embora, dada a minha desobediência, eu possa temer a morte, dada a tua misericórdia não preciso temer.

Duas grandes crises causadas pela enfermidade de Donne, a crise do medo e a crise do sentido, convergiram numa terceira e derradeira crise: a morte. O poeta verdadeiramente acreditava que morreria de sua doença, e essa sombra escura paira sobre cada página de *Devoções*. "Afino o meu instrumento aqui junto à porta", escreveu ele em outra parte — a porta da morte.

Nós modernos aperfeiçoamos técnicas de lidar com essa crise, técnicas que sem dúvida intrigariam muito John Donne. A maioria de nós constrói meios elaborados de evitar a morte pura e simplesmente. Academias de ginástica são uma indústria florescente, assim como lojas de nutrição e alimentação saudável. Tratamos a saúde física como uma religião, e ao mesmo tempo isolamos contundentes lembretes da morte — necrotérios, unidades de terapia intensiva, cemitérios. Vivendo em tempos de peste, Donne não dispunha do luxo da negação. Cada noite carroças puxadas por cavalos emitiam seus surdos ruídos pelas ruas recolhendo os corpos das vítimas daquele dia. Seus nomes — mais de mil por dia no auge da peste — apareciam em longas colunas no jornal do dia seguinte. Ninguém podia viver como se a morte não existisse. Como outras pessoas de sua época, Donne mantinha uma caveira sobre a escrivaninha como um lembrete: *memento mori*.

Em contrapartida, alguns profissionais da saúde modernos adotaram a tática oposta, recomendando a aceitação, não a negação, como a atitude ideal diante da morte. Depois que Elisabeth Kübler-Ross rotulou a aceitação como o estágio final no processo do luto, dezenas de grupos de autoajuda surgiram visando ajudar pacientes em estado terminal a atingir esse estágio. Não é preciso avançar na leitura da obra de Donne para perceber como essa ideia poderia lhe parecer. Alguns acusaram Donne de ter uma obsessão pela morte (trinta e duas composições dentre cinquenta e quatro canções e sonetos se concentram nesse tema), mas para Donne a morte assomava como a grande inimiga a combater, não uma amiga a quem dar as boas-vindas como uma parte natural do ciclo da vida. Desde os tempos em que tenho observado, semana após semana, um amigo ou um ente querido deteriorando-se, eu também conheço a morte como uma inimiga.

Devoções registra a luta concreta de Donne contra a aceitação da morte. Apesar de seus melhores esforços, ele não conseguiu realmente imaginar uma vida após a morte. Os prazeres que conheceu tão bem, que povoaram seus escritos, dependiam todos de um corpo físico e de suas habilidades para cheirar, enxergar, ouvir, tocar e degustar.

Donne encontrou algum conforto no exemplo de Jesus, "meu mestre na ciência da morte", uma vez que o relato do jardim do Getsêmani também praticamente não apresenta uma cena de aceitação calma. Lá Jesus suou gotas de sangue e suplicou que seu Pai lhe desse alguma alternativa. Ele também sentiu a solidão e o medo que agora assombrava o leito de morte de Donne. E por que ele havia escolhido aquela morte? O propósito da morte de Cristo trouxe finalmente algum conforto para Donne: Jesus tinha morrido para efetuar uma cura.

Um ponto de inflexão surgiu para Donne quando ele passou a ver a morte não como a doença que permanentemente assola a vida, mas como a única cura da doença da vida, o estágio final na jornada que nos leva para Deus. O mal infecta tudo na vida neste planeta decaído, e somente mediante a morte — a morte de Cristo e a nossa própria morte — conseguimos efetuar um estado de cura. Donne explorou esse pensamento em "Um hino a Deus Pai", o único outro material conhecido que sobreviveu de seu período de doença além de *Devoções*.

> Tu perdoas o pecado inicial de onde eu vim,
>   Pecado que foi meu e dos meus ancestrais?
> Tu perdoas o pecado que é parte de mim,
>   E enquanto vou pecando eu deploro ainda mais?
>   Ao chegares ao fim, tu não terás o fim,
>   Pois inda tenho mais.
>
> Tu perdoas o pecado em que eu intervim
>   E fiz outros pecar — meus pecados mortais?
> Tu perdoas o pecado evitado por mim
>   Por um ano ou por dois, mas curtido bem mais?
>   Ao chegares ao fim, tu não terás o fim,
>   Pois inda tenho mais.
>
> Eu pequei por temer que ao chegar ao meu fim
>   Na última remada eu vá morrer no cais.
> Mas jura-me por ti que teu Filho então sim
>   Brilhará como agora e sempre e muito mais.

> E ao chegares ao fim, então terás a mim,
> Pois já não temo mais.*

O jogo de palavras baseado no nome do poeta ("thou hast *done*") revela, finalmente, uma espécie de aceitação: não a da morte como um fim natural, mas uma disposição de confiar a Deus o futuro, independentemente das circunstâncias. "Aquela voz que diz que devo morrer agora, não é a voz de um juiz que fala de condenação, mas a de um médico que apresenta a saúde."

Para surpresa de todos, o fato é que John Donne não morreu por causa daquela enfermidade em 1623. Sua doença, mal diagnosticada, era, na verdade, uma espécie de febre como o tifo, e não a peste bubônica. Ele sobreviveu aos bizarros tratamentos médicos a que foi submetido e viveu mais oito anos como deão da Catedral de São Paulo.

Os sermões e os escritos posteriores de Donne com frequência voltaram aos temas abordados em *Devoções*, especialmente o tema da morte, sem, contudo, expressar o mesmo tipo de turbulência interior. Em sua crise, Donne conseguiu alcançar uma "santa indiferença" a respeito de seu fim, não por meio de um abrandamento do horror que é a morte, mas por uma confiança renovada na ressurreição. A morte, que

---

* *Wilt thou forgive that sin where I begun, / Which was my sin, though it were done before? / Wilt thou forgive that sin, through which I run, / And do run still: though still I do deplore? / When thou hast done, thou hast not done, / For, I have more.*

Wilt thou forgive that sin which I have won / Others to sin? and, made my sin their door? / Wilt thou forgive that sin which I did shun / A year, or two: but wallowed in, a score? / When thou hast done, thou hast not done, / For I have more.

I have a sin of fear, that when I have spun / My last thread, I shall perish on the shore; / But swear by thy self, that at my death thy son / Shall shine as he shines now, and heretofore; / And, having done that, thou hast done, / I fear no more.

parece interpor-se à vida, na verdade abre uma porta para uma nova vida. *Onde está, ó morte a tua vitória? Onde está, ó morte, o teu aguilhão?* (1Co 15.155).

Se, de alguma maneira, Donne pudesse viajar no tempo até nossos dias, certamente ficaria horrorizado com a pouca atenção que damos à vida após a morte. Hoje em dia, as pessoas ficam quase envergonhadas de falar sobre essa crença. Tememos o céu como nossos ancestrais temiam o inferno. Essa ideia parece algo excêntrico, uma fuga covarde dos problemas deste mundo. Que inversão de valores, eu me pergunto, nos levou a elogiar um sentimento de aniquilação como algo digno e a descartar tão covardemente a esperança em uma eternidade tão bem-aventurada? O céu ostenta a esperança da promessa de um tempo muito mais longo e mais substancioso, de plenitude, justiça, prazer e paz, do que este que temos aqui na terra. Se não acreditamos nisso, então, como arguiu o apóstolo Paulo em 1Coríntios 15, há pouca razão para sermos cristãos em primeiro lugar. Se realmente cremos, isso deveria mudar nossa vida, assim como mudou a de John Donne.

Deus conhece todo o peso, o fardo e a aflição deste mundo, disse Donne em um de seus sermões; "E se não houvesse um peso da glória futura para se contrapor, todos nós afundaríamos no nada".

> Morte, não te orgulhes, se alguns já te chamaram
> Poderosa e terrível, pois tu não o és [...]
> [...] Após breve sono, acordamos para sempre,
> Não haverá mais morte; Morte, morrerás!*

---

* *Death be not proud, though some have called thee / Mighty and dreadful, for, thou art not so [...] / One short sleep past, we wake eternally, / And death shall be no more, Death thou shalt die.*

DIA 27

A paz da aceitação

Haverá apenas luz, nenhuma sombra sobre mim.

Sete anos depois da doença que inspirou *Devoções*, Donne ficou enfermo mais uma vez, o que iria pôr à prova seriamente tudo aquilo que ele aprendera sobre a dor. Ele passou a maior parte do inverno de 1630 longe do púlpito, confinado numa casa em Essex. Mas quando a época da Páscoa se aproximava no calendário eclesiástico, Donne insistiu em viajar para Londres a fim de proferir um sermão na primeira sexta-feira da quaresma. Os amigos que lá o receberam viram um homem enfraquecido, aparentando muito mais do que seus 58 anos. Uma vida inteira de sofrimento havia cobrado seu preço. Apesar da insistência dos amigos em cancelar o sermão já agendado, ele se recusou.

O primeiro biógrafo de Donne, seu contemporâneo Izaac Walton, descreve a cena no Palácio Whitehall no dia do último sermão de Donne:

> Sem dúvida muita gente se fazia secretamente a pergunta de Ezequiel: "Acaso estes ossos podem voltar a viver?". Ou será esta alma capaz de articular as palavras? [...] Certamente que não. Mesmo assim, depois de pequenas pausas em sua zelosa oração, seu forte desejo permitiu que seu corpo débil derramasse aquilo de que se lembrava das meditações preconcebidas, as quais versavam sobre o tema da morte. O texto foi:

"A Deus, o SENHOR, pertencem os livramentos da morte" (Sl 68.20, ACF). Muitos dos que viram suas lágrimas e ouviram sua voz débil e tênue confessaram que o texto parecia ter caráter profético, e que o Dr. Donne havia pregado seu próprio sermão fúnebre.

(Extraído de *The Life of John Donne*)

Donne já havia muitas vezes expressado o desejo de morrer no púlpito, e foi quase isso que aconteceu. O impacto daquele sermão, "O duelo da morte", um dos melhores de Donne, demorou a desaparecer da mente dos que o ouviram. Para Donne, a morte era uma inimiga contra a qual ele lutaria enquanto existissem forças em seus ossos. E lutou com a fé confiante de que a inimiga seria finalmente derrotada.

Levado para casa, Donne passou as cinco semanas seguintes preparando-se para morrer. Ditou cartas endereçadas a amigos, compôs alguns poemas e escreveu o próprio epitáfio. Alguns amigos passaram por ali, e ele relembrava o passado. "Não posso alegar inocência em relação à vida, especialmente nos anos de minha juventude", disse ele a um amigo, "mas serei julgado por um Deus misericordioso, que não anseia ver o que fiz de errado. Embora não tenha nada a apresentar de mim mesmo senão pecado e miséria, sei que ele olha para mim não como eu mesmo sou, mas como sou em meu Salvador. [...] Estou, portanto, repleto de indescritível alegria e morrerei em paz."

Izaac Walton contrastou a imagem de John Donne em seus últimos dias — com o corpo alquebrado, mas com paz de espírito — com um retrato dele aos 18 anos, como um garboso cavaleiro, paramentado com roupas finas, brandindo uma espada. A inscrição do retrato, conforme comentou Walton, provou-se ironicamente profética em relação à vida difícil de Donne: "Quanto deverei ser mudado antes de mudar!".

Um escultor foi à sua casa naquelas últimas semanas, por ordem da igreja, visando a construção de um monumento. Donne posou para ele na postura da morte, com uma fina mortalha envolvendo o corpo, as mãos dobradas sobre o estômago, os olhos fechados. A efígie foi esculpida numa única peça de mármore branco, e depois da morte de Donne artesãos montaram-na sobre sua urna funerária na Catedral de São Paulo.

O monumento a John Donne ainda permanece ali. Na verdade, foi o único objeto da catedral que sobreviveu ao grande incêndio de 1666, e que pode ser visto na galeria reconstruída por Christopher Wren, atrás dos assentos do coro, um monumento cor de marfim colocado em um nicho na antiga pedra cinzenta. Os guias turísticos apontam para uma pequena marca de fogo na urna, datada da época do incêndio. O rosto de Donne apresenta uma expressão de serenidade, como se ele tivesse alcançado na morte a paz que tanto procurara em vida.

> Nosso último dia é nosso primeiro dia; nosso sábado é nosso domingo; nossa véspera é nosso dia santo; nosso pôr do sol é nossa manhã; o dia de nossa morte é o primeiro dia de nossa vida eterna. O dia seguinte a isso [...] é aquele em que me mostrarei a mim mesmo. Aqui sempre me vejo envolto em disfarces; lá, então, verei a mim mesmo, mas também verei a Deus [...]. Aqui tenho uma faculdade aguçada e outra deixada nas trevas; minha compreensão às vezes é clareada, ao mesmo tempo que minha vontade é pervertida. Lá serei apenas luz,

nenhuma sombra sobre mim; minha alma envolta na luz da alegria e meu corpo, na luz da glória.

(Extraído de *Sermons* de John Donne)

Outro monumento está presente nos escritos de Donne. Li muitas palavras sobre a questão da dor, e eu mesmo escrevi algumas. Contudo, em nenhum outro lugar encontrei meditações tão concentradas e sábias sobre a condição humana como no diário que Donne manteve durante as semanas de sua doença, enquanto se preparava para morrer. Tendo se proposto lutar com Deus, ele se viu nos braços de um Médico misericordioso, que com ternura o guiou através da crise de modo ele que pudesse emergir para dar consolo e esperança a outros.

O apóstolo Paulo, estando preso e não sabendo se sobreviveria e sairia do cárcere ou se morreria executado, disse aos filipenses que, de uma ou de outra maneira, ele estava satisfeito.

> Pois sei que, com suas orações e o auxílio do Espírito de Jesus Cristo, isso resultará em minha libertação. Minha grande expectativa e esperança é que eu jamais seja envergonhado, mas que continue a trabalhar corajosamente, como sempre fiz, de modo que Cristo seja honrado por meu intermédio, quer eu viva, quer eu morra. Pois, para mim, o viver é Cristo, e o morrer é lucro.
> Filipenses 1.19-21

Donne finalmente, antes de morrer, experimentou a paz, que substituiu seu temor e ansiedade. Ele estava seguindo o caminho de Paulo, que, não sabendo se ia enfrentar a vida ou a morte, exibiu um comedimento enraizado em sua confiança em Deus. De um jeito ou de outro, Deus estaria com ele.

As percepções deles podem nos ajudar a descobrir nosso próprio caminho em meio ao tumulto das emoções a que a crise nos submete. Quando a próxima ocasião nos empurrar para a resignação e o temor, conseguiremos descobrir aceitação e até mesmo alegria?

Quando houve o primeiro surto de coronavírus em 2020, e o meu estado do Colorado emitiu uma ordem de isolamento em casa, dei-me conta de que, como a maioria dos americanos, eu estava gastando tempo demais rastreando o número das vítimas e o implacável avanço do vírus. Desde o início, sentindo-me desconectado do mundo lá fora em rápida transformação, eu havia preenchido todos os momentos com noticiários e *podcasts*, como se estivesse enviando mensagens para lembrar a mim mesmo que ainda fazia parte da humanidade e participava de sua situação crítica.

Acabei me sentindo sobrecarregado pelos constantes lembretes de eventos sobre os quais eu não tinha controle, e decidi então desligar-me. Em busca de alívio, e com as academias de ginástica fechadas, comecei a fazer longas caminhadas nas Montanhas Rochosas. Passei a ler poesia, sobretudo W. H. Auden e Mary Oliver, e me adaptei ao ritmo mais lento e mais calmo que a poesia exige.

Naquele fim de semana, uma tempestade de neve primaveril precipitou-se nos sopés das montanhas. Minha mulher e eu caminhamos por uma hora através de neve sem trilha alguma, respirando o ar da montanha e descobrindo um rasto embaixo de pinheiros cobertos de neve imaculada. Eu precisava daquela pausa, protegido do cansativo ciclo de notícias negativas, e acolhi o lembrete de que, apesar de todos os problemas, a terra em que habitamos é um lugar de beleza indescritível.

Steven Garber escreve, em seu livro *Visions of Vocation*:

Como o poeta Bob Dylan cantou outrora, Tudo está quebrado. Sim, tudo, e portanto não devemos ser românticos. Não podemos arcar com isso, exatamente como tampouco podemos ser estoicos ou cínicos.

Mas a história do sofrimento também não é toda a história da vida. Também existe o maravilhamento e o esplendor, a alegria e o sentido, nas vocações que são nossas. Há um bom trabalho a ser feito por todos os filhos de Adão e todas as filhas de Eva em todos os cantos da terra. Há flores a cultivar, canções para cantar, pão para assar, justiça a ser feita, misericórdia a ser mostrada, beleza a ser criada, boas histórias para contar, casas para construir, tecnologias para desenvolver, campos para cultivar e filhos a educar.

O dia inteiro, todos os dias, há feridas e maravilhas no próprio coração da vida, se tivermos olhos para enxergar.

DIA 28

Descobrir sentido no sofrimento

Transforma esta [...] mesma depressão e desânimo do coração num poderoso cordial.

Viktor Frankl, sobrevivente de um campo de concentração nazista, expressou bem outra crise enfrentada por pessoas que sofrem: a crise do sentido. "O desespero", disse ele, "é sofrer sem sentido." Ele observou que colegas de prisão conseguiam suportar um sofrimento agudo desde que tivessem alguma esperança em seu valor de redenção. Numa sociedade muito diferente como a nossa, saturada de conforto, que possível sentido podemos atribuir à grande intrusa, a dor?

Tenho uma estante inteira de livros sobre o tópico da dor e do sofrimento. Durante a quarentena da COVID-19, passei horas folheando aqueles que eu tinha marcado e sublinhado ao longo dos anos. Questões não respondidas — o futuro do planeta, o envolvimento de Deus nas pandemias, a aleatoriedade de quem adoece e quem permanece sadio — ainda redemoinhavam ao meu redor. Cada vez mais, porém, à medida que vou lendo sobre relatos de sofrimento, eles se reduzem a uma única pessoa honestamente enfrentando a dor e a mortalidade na presença de Deus.

Em seu clássico livro *O problema da dor*, C. S. Lewis respondeu de modo convincente muitas das perguntas que surgem quando sofremos. Anos mais tarde, contudo, a mulher de Lewis, Joy, contraiu um câncer. Ele a viu definhar e morrer num leito de hospital. Depois disso ele escreveu outro livro, muito mais pessoal e emotivo, sobre a dor. E neste livro, *A anatomia de uma dor*, Lewis escreve:

> Enquanto isso, onde está Deus? Este é um dos mais inquietantes sintomas. Quando você está feliz, tão feliz que não tem nem noção de precisar dele, se você então se dirigir a ele com louvores, será recebido de braços abertos. Mas vá procurá-lo quando sua necessidade é desesperadora, quando qualquer outra ajuda é vã, e o que você encontra então? Uma porta fechada na sua cara e o som de ferrolhos duplos do lado de dentro. Depois disso, silêncio. Melhor você ir embora.

No fim, Lewis descobriu que o sofrimento não é um problema a resolver, mas um fardo a carregar. Somos reduzidos a desnorteadas criaturas mortais enfrentando questões essenciais sem conseguir nenhuma resposta satisfatória para elas.

No tempo de John Donne, parecia que a ira candente de Deus chovia sobre todo o planeta. Dois brilhantes cometas apareciam no céu cada noite — sinais incontestáveis, diziam alguns, da mão de Deus por trás da peste. Profetas circulavam pelas ruas, um deles ecoando Jonas com seu grito: "Mais quarenta dias, e Londres será destruída!". Os teólogos da Europa debateram durante quatro séculos a mensagem de Deus na Grande Peste, mas no fim um pouco de veneno de rato silenciou toda a especulação deles.

Que dizer do sentido da progeria, aquela trágica anormalidade que acelera o processo do envelhecimento e faz uma criança de seis anos se parecer e sentir com oitenta? Ou qual é o sentido da paralisia cerebral, ou da fibrose cística? Qual o sentido de um terremoto na Índia, ou de uma monstruosa sucessão de ondas que mata cem mil pessoas em Bangladesh? Por que um desenfreado incêndio no Colorado destrói uma casa e salta por cima das casas dos vizinhos? Qual o sentido do câncer terminal? Ou de uma pandemia interminável?

John Donne ponderou essas questões enquanto jazia acamado gravemente enfermo. Através da janela aberta de seu quarto, ele ouvia os sinos da igreja difundindo a pesarosa declaração da morte. Por um instante Donne se perguntou se seus amigos, sabendo que a situação dele era mais grave do que eles haviam revelado, haviam mandado tocar os sinos para a sua própria morte. Logo descobriu que os sinos estavam marcando a morte de outra pessoa, mais uma vítima da peste.

Pouco tempo depois, sons do serviço fúnebre se infiltraram junto com ruídos da rua. Donne fez, em voz baixa e rouca, um lânguido acompanhamento ao canto dos salmos pela congregação, e foi então que escreveu a meditação do estágio dezessete sobre o significado dos sinos da igreja — a parte mais famosa de *Devoções*, e uma das mais celebradas páginas da literatura inglesa: "Nenhum homem é uma ilha [...]. Se um pedaço de terra é levado pelo mar, a Europa é diminuída [...] a morte de qualquer pessoa me diminui, porque estou envolvido com a humanidade e, portanto, nunca mandes perguntar por quem o sino dobra; ele dobra por ti". Choramos pela morte de outra pessoa porque nós mesmos somos diminuídos. No mesmo evento percebemos uma profunda unidade com os outros, e também a sua dilaceração.

O dobre daquele sino provocou uma curiosa virada no pensamento de Donne. Até aquele ponto, ele estivera cismando sobre o sentido da enfermidade e que lições aprender com ela. Agora ele passava a contemplar o sentido da saúde. O sino também o levou a questionar como ele havia passado sua vida inteira. Havia ela santificado a dádiva da saúde servindo aos outros e a Deus? Havia visto a vida como uma preparação, um campo de treinamento, para uma vida muito mais longa e mais importante no futuro — ou como um fim em si mesma?

Quando Donne passou a reexaminar sua vida, surpresas vieram à luz. Agora parecia claro que seus períodos de aflição, as circunstâncias de que ele mais se ressentiu na época, resultaram ser as verdadeiras ocasiões de crescimento espiritual. As provações haviam purgado o pecado e desenvolvido seu caráter; a pobreza lhe havia ensinado a depender de Deus e o havia purificado da ganância; o fracasso e a desgraça pública o haviam ajudado a curar-se do orgulho e da ambição. Um padrão definido emergiu: a dor podia ser transformada, até mesmo redimida, e o mal aparente às vezes resulta em verdadeiro bem.

A revisão sistemática de Donne o trouxe para suas circunstâncias presentes. Será que até *esta* dor poderia ser redimida? Sua enfermidade o limitava, naturalmente, mas a incapacidade física certamente não inibiu seu crescimento espiritual. Ele dispunha de muito tempo para orar: o sino o lembrara de seu menos afortunado vizinho, e dos muitos outros aflitos de Londres. Ele estava em condições de aprender a humildade, a confiança, a gratidão e a fé.

Donne fez disso uma espécie de jogo: imaginou sua alma se fortalecendo, levantando-se da cama e caminhando pelo quarto exatamente enquanto seu corpo jazia deitado. Canalizou sua energia para disciplinas espirituais: a oração, a confissão dos pecados, a manutenção de um diário (que foi transformado em *Devoções*). Ele começou a pensar menos em si mesmo e concentrou-se nos outros.

Assim *Devoções* registra uma mudança radical na atitude de Donne em relação ao sofrimento. Ele começa com orações pedindo que o sofrimento fosse eliminado; e termina com orações pedindo que o sofrimento seja redimido, e que ele seja "catequizado pela aflição". Essa redenção poderia assumir a forma de uma cura milagrosa — ele ainda esperava isso —, mas mesmo se isso não acontecesse, Deus poderia tomar uma tosca pepita e, por meio do fogo do sofrimento aplicado pelo refinador, transformá-la em ouro puro.

DIA 29

Compaixão, não censura

Concede-me emoções afáveis, flexíveis e ajustadas, de modo que, como me alegro com quem se alegra e choro com quem chora, possa também temer com os que temem.

Em setembro de 2013, um córrego perto de casa subiu quase dois metros numa "enchente do século" e por poucos centímetros não extravasou de suas margens e inundou meu escritório. Passei o dia seguinte enchendo sacos de areia e criando uma barragem contra a margem do córrego que se erodia. Árvores inteiras e pontes passavam ruidosamente diante de mim, e se eu não posicionasse direitinho um saco de areia de vinte quilos, o córrego o pegaria e jogaria para longe como um lixo qualquer.

Exausto, ensopado, coberto de lama, entrei em casa para uma limpeza, e foi então que ouvi um pastor de Colorado Springs pontificar que a enchente do século estava acontecendo porque o legislativo estadual acabara de aprovar o casamento entre *gays* e legalizar a maconha. Sacudi a cabeça consternado por causa de outro autodesignado profeta que tentava falar em nome de Deus.

No início de 2020, durante o ataque inicial da COVID-19 nos Estados Unidos, eu me perguntava o que esse mesmo pastor diria sobre os trinta e três bispos afro-americanos e líderes de diversas denominações espalhados pelo país que morreram por causa do vírus. Ou sobre os membros de uma pequena igreja em Calgary, no Canadá, que se reuniram para celebrar o aniversário de um de seus mais amados anciãos e seguiram o mais rigoroso protocolo, limitando o encontro a menos de cinquenta pessoas e mantendo dois metros de distanciamento social — e, apesar disso tudo, vinte e quatro dos quarenta e um participantes contraíram o vírus, e dois morreram.

Eu às vezes gostaria que pastores e outros porta-vozes cristãos fizessem uma variação do juramento de Hipócrates, começando com a promessa de "Não prejudicar". Quase por instinto nós reagimos ao sofrimento como se fosse um tipo de punição cármica. *Nós* [ou eles] *devemos ter feito algo errado. Deus está tentando nos dizer alguma coisa.* Uma coisa é usar uma tragédia como um tempo de parar e refletir sobre o que precisa mudar, e outra coisa totalmente diferente é culpar as vítimas por causarem aquela tragédia.

No caso específico do novo coronavírus, perguntas sobre causação é melhor deixá-las nas mãos de cientistas, não de pastores ou teólogos amadores. Os vírus e as bactérias são os seres mais abundantes e diversos sobre a Terra, na maioria benéficos, mas alguns mutantes e causadores de problemas para o sistema imunológico humano. É evidente que Deus não escolheu intervir em cada mutação de vírus, em cada tempestade e em cada placa tectônica que se desloca.

Nós vivemos num planeta imperfeito e desorganizado que desagrada a Deus tanto quanto nos desagrada. Jesus nos pediu que orássemos para que a vontade de Deus *seja feita assim na terra como no céu*, e essa oração ainda não foi atendida no planeta Terra. Nas palavras do apóstolo Paulo, *sabemos que, até agora, toda a criação geme, como em dores de parto* (Rm 8.22).

É fácil corrigir a resposta reflexa de supor que tragédias acontecem como punição de Deus. Simplesmente siga Jesus através dos evangelhos e observe a reação dele ao leproso, ao mendigo cego à beira da estrada, ou mesmo ao oficial romano cujo servo caiu doente. Sempre, sem exceção, ele reage concedendo conforto e cura. Nunca ele culpa a vítima ou filosofa sobre a causa. Se quisermos saber como Deus se sente em relação às pessoas que sofrem — devido à pobreza, à opressão, a um câncer ou a uma pandemia — tudo o que precisamos fazer é examinar a compassiva resposta de Jesus. Deus está do lado delas.

A compaixão deveria no fim das contas levar à ação. Em *Dominion: How the Christian Revolution Remade the World* [Domínio: Como a revolução cristã recriou o mundo], o historiador britânico Tom Holland documenta como membros da igreja dos primórdios cuidavam dos pobres e moribundos e adotavam bebês abandonados. O sociólogo Rodney Stark, em *O crescimento do cristianismo*, observa que um dos motivos pelos quais a igreja cresceu tão rapidamente no âmbito do Império Romano remonta ao modo como os cristãos reagiam às pandemias de época, que provavelmente incluíam a varíola e a peste bubônica. Quando a infecção se alastrava, os romanos fugiam de suas cidades e aldeias; os cristãos permaneciam onde moravam para alimentar e cuidar não apenas de seus parentes, mas também de seus vizinhos pagãos.

Durante uma conversa em um *podcast*, o presidente do Denver Seminary, Mark Young, falou-me de uma seminarista licenciada que trabalhava como capelã numa instituição para idosos com demência. Vinte internos e dois funcionários morreram de COVID-19 num período de três semanas. A instituição proibiu todas as visitas, e em consequência disso muitas vezes a capelã era a única pessoa sentada ao lado de um interno agonizante. Depois seu dever era sair da área de quarentena e tentar levar consolo às famílias dos falecidos, ansiosas por saber de todos os detalhes de quem havia agonizado, indo a óbito.

"Onde está Deus numa situação dessas?", perguntou Mark. É óbvio que ele sabia a resposta. Deus estava presente naquela capela que levava conforto da melhor maneira possível, primeiro à pessoa agonizante e depois à família deixada por ela.

Quando Jesus ascendeu aos céus, ele enviou seus seguidores para o mundo "como o Pai me enviou", a fim de continuar sua missão de consolo e cura. Numa linda frase, o apóstolo Paulo se refere a Deus como *o Pai misericordioso e Deus de toda consolação. Ele nos consola em todas as nossas aflições, para que, com a consolação que recebemos de Deus, possamos consolar outros quando eles passarem por aflições* (2Co 1.3-4). Essa é a missão declarada do cristão num mundo cheio de dor e sofrimento. O teólogo Stanley Hauerwas certa vez descreveu a igreja como "um grupo de pessoas que aprenderam como estar doentes e pedir ajuda e como estar presentes umas para com as outras na dor e longe dela".

DIA 30

Do medo à confiança

Concede-me, ó Senhor, um temor do qual eu possa não ter medo.

Todas as vezes que abro as portas de um hospital e inalo seu conhecido cheiro antisséptico, eu tremo de medo, mesmo como visitante. O ambiente esterilizado conjura a solidão de jazer num leito hospitalar sentindo-se infeliz, solidão interrompida apenas pelas cutucadas e picadas de testes, enquanto médicos e enfermeiras trocam ideias em voz baixa.

Desse mesmo modo John Donne descreveu a sensação desconexa que se instala quando os médicos pairam sobre um paciente. Quando ele percebia medo no médico, seus próprios medos vinham à tona: "Eu o ultrapasso, corro mais que ele em seu medo." Como paciente, ele se sentia como um objeto, como um mapa estendido sobre uma mesa, estudado atentamente por cosmógrafos. Ele se imaginava separado do próprio corpo e flutuando acima dele, e desse ponto de vista ele podia observar a figura que se deteriorava na cama. À medida que a doença avançava, ele se via como uma estátua de argila, com seus membros e carne se derretendo e se esboroando num punhado de pó. Logo nada sobraria a não ser um monte de ossos.

Na maior parte do tempo Donne tinha de combater esses medos sozinho, pois naquela época os médicos submetiam pacientes com doenças contagiosas a uma quarentena, afixando um aviso de advertência na porta de seus quartos. Enquanto Donne jazia confinado em seu leito, ele se perguntava se Deus também estava participando da quarentena. Ele gritava, mas não obtinha nenhuma resposta. Onde estava a prometida presença de Deus? Seu conforto? Em cada uma das vinte e três meditações, Donne volta a tratar da questão principal subjacente a seu sofrimento. O medo real não era o clamor metálico de células da dor espalhadas por todo o seu corpo; ele tinha medo de Deus.

O calvinismo era ainda novo na época, com sua ênfase na absoluta soberania de Deus, e Donne refletia sobre a noção de que as pestes e guerras eram como "anjos de Deus". Ele logo recuava: "Certamente não és tu, não é a tua mão. A espada que parte, o fogo que devora, os ventos do deserto, as enfermidades do corpo e as enfermidades que afligiram Jó vieram das mãos de Satanás; não és tu". Contudo, ele nunca tinha certeza, e o não saber causava um tormento interior. A culpa por seu passado manchado rondava por perto, como um demônio à espreita. Talvez ele estivesse realmente sofrendo em consequência do pecado. E nesse caso, era melhor ser escoriado por Deus, ou simplesmente não ser visitado? Como ele poderia adorar, sem falar em amar, um Deus assim?

Embora *Devoções* não responda às questões filosóficas, o livro registra a resolução emocional de Donne, um movimento gradual rumo à paz. No início — confinado na cama, despejando orações sem respostas, contemplando a morte, regurgitando culpa — ele não consegue encontrar alívio para o medo. Obcecado, revisa todas as ocorrências bíblicas da palavra *fear* ["medo, temor"] na Bíblia. Ao fazer isso, ocorreu-lhe que a vida sempre inclui circunstâncias que incitam o medo: se não for uma doença, dificuldades financeiras; se não for a pobreza, a rejeição; se não for a solidão, o fracasso. Num mundo assim, Donne tem uma escolha: temer a Deus, ou temer todas as outras coisas.

Numa passagem que lembra a litania de Paulo em Romanos 8 ("E eu estou convencido que nem a morte nem a vida [...] jamais poderá nos separar do amor de Deus"), Donne faz um levantamento de seus potenciais medos. Inimigos pessoais não constituem uma ameaça fundamental, pois Deus pode vencer qualquer inimigo. Carestia? Não, pois Deus pode prover. Morte? Mesmo isso, o pior medo humano, não apresenta nenhuma barreira definitiva contra o amor de Deus. Donne conclui que sua melhor conduta é cultivar um apropriado temor do Senhor, um temor que pode suplantar todos os outros: "Como tu me deste um arrependimento do qual não vou me arrepender, dá-me também um temor do qual eu não tenha medo". Aprendi com Donne, quando enfrento dúvidas, a revisar minhas alternativas. Se por alguma razão qualquer eu me recuso a confiar em Deus, em que, então, posso confiar?

Em seu debate com Deus, Donne mudou as perguntas. Começou com a pergunta da *causa* — "Quem causou esta doença, esta peste? E por quê?" —, para a qual não encontrou resposta. As meditações se movem sempre gradativamente rumo à pergunta da *reação*, a questão definidora com que depara toda pessoa que sofre. Confiarei a Deus a minha crise e o medo que ela provoca? Ou me afastarei de Deus amargurado e com raiva? Donne concluiu que, no sentido mais importante, não fazia nenhuma diferença saber se sua doença era um castigo ou simplesmente uma ocorrência natural. Nos dois casos ele confiaria em Deus, pois no fim a *confiança* representa o temor apropriado do Senhor.

Donne comparou o processo com sua mudança de atitude em relação aos médicos. Inicialmente, quando eles examinavam seu corpo em busca de novos sintomas e discutiam suas descobertas em voz baixa do lado de fora de seu quarto, ele não podia evitar a sensação de medo. Com o tempo, porém, sentindo a preocupação compassiva deles, convenceu-se de que eles mereciam sua confiança. O mesmo padrão se aplica a Deus. Muitas vezes não entendemos os métodos de Deus ou as razões por trás deles. A questão mais importante, porém, é saber se Deus é um "médico" digno de confiança. Donne concluiu que sim.

Muitas pessoas não imaginam um Deus digno de confiança. Da igreja, elas ouvem principalmente condenação. É por isso que, seguindo Donne, eu mudo a perspectiva para o motivo central de confiar em Deus: porque, em Jesus, Deus nos deu um rosto.

Para aprender como Deus vê o sofrimento neste planeta, precisamos apenas olhar para o rosto de Jesus movendo-se entre paralíticos, viúvas e leprosos. Jesus mostrou uma ternura extraordinária para com aqueles que outros julgavam como merecedores de seu destino. Em Jesus, disse Donne, nós temos um Grande Médico "que conhece nossas enfermidades naturais, pois ele as provou, e conhece o peso de nossos pecados, pois ele pagou um alto preço por eles".

Como podemos nos aproximar do Deus de quem temos medo? Em resposta, Donne exibe uma frase da narrativa de Mateus sobre as mulheres que descobriram o túmulo vazio depois da ressurreição de Jesus. Elas deixaram o local com medo e, no entanto, com grande alegria, e Donne viu em suas "duas pernas de medo e alegria" um modelo para si mesmo. Aquelas mulheres haviam visto com os próprios olhos a vasta distância entre Deus e o homem mortal, mas de repente era uma distância que inspirava alegria. Deus havia feito uso de seu grande poder para conquistar o último inimigo, a morte. E, por essa razão, John Donne descobriu finalmente um temor do qual ele não precisava ter medo.

Em 2020, o Domingo de Páscoa caiu num tempo em que a COVID-19 estava assolando o país, e quase todas as igrejas tiveram de recorrer à tecnologia, transmitindo *on-line* seus serviços religiosos realizados em recintos sinistramente vazios. A esperança parecia tão evasiva como deve ter sido para os discípulos que assistiram à morte de seu líder. Mas o padrão de três dias — a tragédia da Sexta, o desespero do Sábado, o triunfo do Domingo — tornou-se para os seguidores de Jesus um padrão que pode ser aplicado a todos os nossos tempos de tribulação.

A Sexta-feira Santa demonstra que Deus não é indiferente à nossa dor; Deus, também, está pessoalmente "familiarizado com a dor". O Sábado Santo sugere que podemos passar por tempos de confusão e aparente derrota. E o Domingo de Páscoa mostra que, no fim, o sofrimento não prevalecerá.

Ó Deus, tu trazes a morte e dás a vida.
Tudo o que vier, vem de ti;
não importa o que venha,
deixa que eu venha para ti.

Compartilhe suas impressões de leitura,
mencionando o título da obra, pelo e-mail
opiniao-do-leitor@mundocristao.com.br
ou por nossas redes sociais

Esta obra foi composta com tipografia Janson Text
e impressa em papel Pólen Soft 70 g/m² na gráfica Assahi